Vital 2
Livre de l'étudiant

Author: **Kate Corney**

Consultant: **Michael Buckby**

Language consultant: **Véronique Bussolin**

Collins Educational

An imprint of HarperCollins*Publishers*

Published by Collins Educational
An imprint of HarperCollins*Publishers*
77–85 Fulham Palace Road
Hammersmith
London, W6 8JB

© Collins Educational 1996
First Published 1996
987654321

ISBN 0 00 320128 7

Printed and bound by Scotprint Ltd., Musselburgh.

Kate Corney et al assert the moral right to be identified as the authors of this work.

Series planned by Kate Harris
Edited by Alice Duke and Antonia Maxwell
Produced by Mandy Inness
Designed by Celia Hart

ACKNOWLEDGEMENTS

The author and publishers would sincerely like to thank the many people in Aix-en-Provence who helped us with material and photographs for *Vital 2*. We are particularly grateful to:

Véronique Bussolin; Caroline Costa; Philippe Richard; Julien Tassetti.

We would also like to thank the following for their assistance during the writing and production of *Vital 2*:

Martine Pillette and Nathalie Beardsley for French language checking.
Dorothy Galloway, Nina Boye and Jane Gaskin for typing and checking the manuscript.
Graham George (Subject Officer, Modern Languages, NEAB)
Graham Kendal (NPRA Officer, NEAB)
Mike Viner (Senior Advisor for Assessment and Recording, North Yorkshire)
Mike Ounsworth (Head of Modern Languages, St Peter's High School, Exeter and Principal Examiner for GCSE)

The following are thanked for permission to reproduce copyright material:

Parc des Maurettes camping-caravaning: 29-30

ILLUSTRATIONS

Kathy Baxendale: 10, 38, 44, 47, 48, 66, 72, 73, 77, 78, 86, 87, 88

Michel-Marie Bougard: 13, 14, 29, 30, 31, 43, 59, 75, 76, 80

Peter Brown: 28, 63

Paul Collicutt: 7–8, 69–70, 71

Joan Corlass: 22

Sarah Jowsey: 38, 39, 48, 71

Cathy Morley: 15, 16, 25, 42, 64, 75, 84

Nigel Paige: 19, 20, 24, 50, 52, 60, 81

Martin Ursell: 6, 9

PHOTOGRAPHS

Photographs reproduced by permission of:

Robert Harding Picture Library/Frederic Auerbach: 56
Robert Harding Picture Library/Nick Cole: 58 (right)
Robert Harding Picture Library/Tim Evan Cook: 57 (left)
Robert Harding Picture Library/Sandra Lousada: 58 (left)
Telegraph Colour Library/Bavaria - Bildagentur: 57 (right)

Picture research by Antonia Maxwell
All other photographs taken on location by Tim Booth

Every effort has been made to contact the holders of copyright material, but if any have been inadvertently overlooked, the Publishers will be pleased to make the necessary arrangements at the first opportunity.

Table des Matières

Glossary of instructions

A

Ça vous aide. — This will help you.

Dans cette unité, vous allez apprendre à… — In this unit you will learn to…

Apprenez la lettre. — Learn the letter.

Au secours! — Help!

Ecoutez un autre dialogue. — Listen to another dialogue.

A votre avis… — In your opinion…

B

Laissez un blanc. — Leave a gap.

Indiquez la bonne phrase. — Point to the correct sentence.

C

Ça vous aide? — Does this help you?

C'est à vous. — It's your turn.

C'est quoi…? — What is…?

Changez de rôle. — Change roles.

Pour chaque dialogue… — For each dialogue…

Changez les mots en rouge. — Change the words in red.

Cherchez le mot. — Look for the word.

Vous avez choisi les bonnes phrases? — Have you chosen the correct sentences?

Choisissez le meilleur dialogue. — Choose the best dialogue.

ci-dessus — above

Cochez les phrases correspondantes. — Tick the matching sentences.

Combien? — How much/many?

Si vous ne comprenez pas les phrases. — If you don't understand the sentences.

Vous comprenez tout? — Do you understand everything?

Vous connaissez déjà les phrases dont vous avez besoin. — You already know the sentences which you need.

Soulignez la phrase qui correspond à l'anglais. — Underline the sentence which matches the English.

Corrigez toutes les fautes. — Correct all the mistakes.

D

Demandez à votre partenaire. — Ask your partner.

Décrivez ce que vous aimez. — Describe what you like.

Faites un dessin. — Draw a picture.

Distinctement. — Distinctly.

Dites ce que… — Say what…

E

Ecoutez encore une fois. — Listen once again.

Ecrivez à côté de chaque dessin les mots en français. — Write the French words next to each picture.

Vous entendez trois Français qui… — You hear three French people who…

Essayez de jouer le dialogue. — Try to act out the dialogue.

Les phrases essentielles. — The key sentences.

Expliquez les phrases. — Explain the sentences.

F

Faites attention aux mots en rouge. — Pay attention to the words in red.

Faites un dialogue. — Make up a dialogue.

Que faites-vous? — What do you do?

Fermez vos livres. — Close your books.

G H I

Recopiez cette grille. — Copy this grid.

Il y a parfois des situations imprévues. — There are sometimes unexpected situations.

Indiquez chaque phrase que vous entendez. — Point to each sentence that you hear.

Imaginez que vous êtes… — Imagine that you are…

Inventez un dialogue. — Invent a dialogue.

J K L

Jouez les dialogues. — Act out the dialogues.

Elles sont justes? — Are they correct?

Lisez ces dépliants…	Read these leaflets…
dans lesquels/lesquelles…	in which…
Laissez un blanc.	Leave a gap.

M N O

Vous avez écrit les mêmes phrases?	Did you write the same sentences?
Mettez vos phrases dans le bon ordre.	Put your sentences in the right order.
Voici les mots.	Here are the words.
Notez les réponses.	Note down the answers.
Ecrivez-les dans le bon ordre.	Write them in the right order.

P

Regardez ces panneaux/pancartes.	Look at these signs.
Les phrases essentielles.	The key sentences.
Pourquoi?	Why?
Pouvez-vous?	Can you?
Posez des questions.	Ask some questions.
Prenez des notes.	Take notes.

Q

Quand vous entendez…	When you hear…
Que disent les Français?	What do the French say?
Que dites-vous?	What do you say?
Qu'est-ce que vous voyez?	What do you see?
Quel dessin?	Which drawing?
Quelles sont les questions?	What are the questions?
Qui peut écrire la liste la plus longue?	Who can write the longest list?
Vous avez besoin de quoi?	What do you need?

R

Recopiez trois fois les questions.	Copy the questions three times.
Regardez le sommaire.	Look at the summary.
Remplacez les mots rouge.	Replace the words in red.

Remplissez cette grille.	Fill in this grid.
Répétez-la.	Repeat it.
Répétez seulement les phrases dont vous avez besoin.	Only repeat the sentences which you need.
Répondez aux questions suivantes.	Answer the following questions.

S

Il s'agit de quoi?	What is it about?
Vous savez dire…	You know how to say…
Sans (arrêter) la cassette.	Without (stopping) the cassette.
Au secours!	Help!
Seulement les réponses.	Only the answers.
Si la phrase est juste…	If the sentence is right…
Sinon…	If not…
Au sujet des…	On the subject of…

T

Traduisez les mots (en anglais).	Translate the words (into English).
Travaillez avec votre partenaire.	Work with your partner.
Trouvez le bon dessin.	Find the right drawing.

U V W X Y Z

Utilisez-les pour écrire une lettre.	Use them to write a letter.
Vérifiez ce que vous avez écrit.	Check what you have written.

Introduction

 1 Regardez ces photos et écoutez la cassette.
Quelle photo va avec quel dialogue?

 2 Avec votre partenaire, jouez des dialogues
qui vont avec les photos.

A

B

C

D

E

F

G

Introduction

4 quatre

Unité 1
Ma ville

Les objectifs

Dans cette unité, vous allez apprendre à:

1 décrire votre ville.

2 dire si vous aimez votre ville et pourquoi.

3 comparer votre ville avec Nice.

Objectif 1 Décrivez votre ville

Les phrases essentielles

Où habitez-vous?

J'habite à Nice. C'est une ville touristique dans l'est de la France. Il y a environ 350 000 habitants.

J'habite à Paris. C'est la capitale de la France.

J'habite à Marseille. C'est une grande ville industrielle dans le sud de la France. Il y a environ 800 500 habitants.

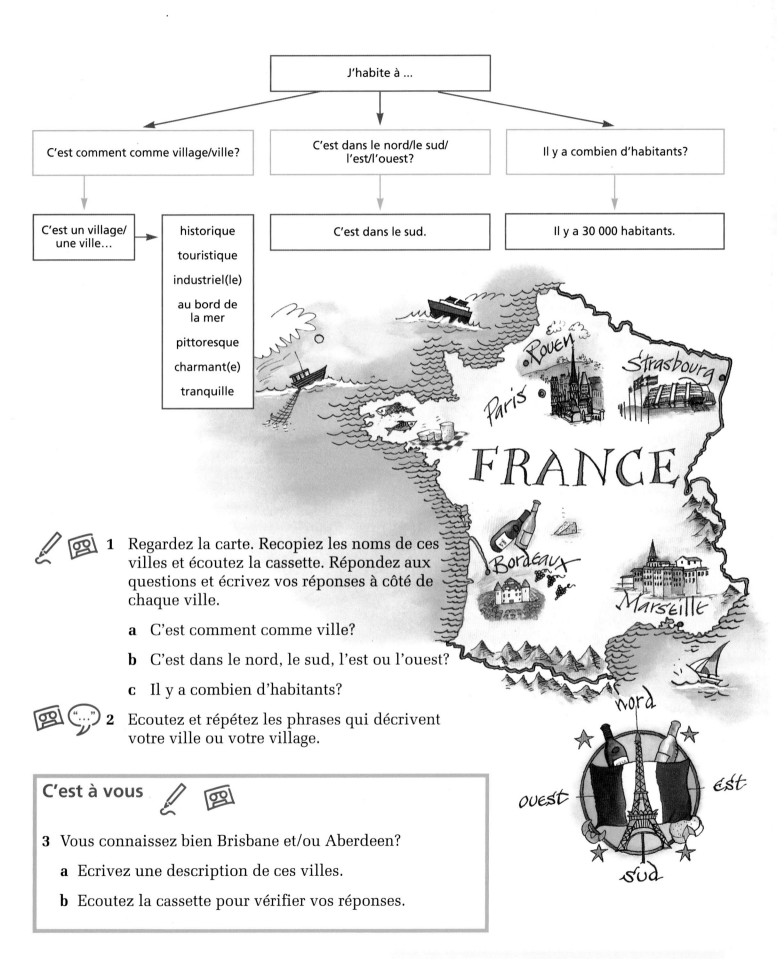

J'habite à …

C'est comment comme village/ville?	C'est dans le nord/le sud/ l'est/l'ouest?	Il y a combien d'habitants?

| C'est un village/ une ville… | → | historique
touristique
industriel(le)
au bord de la mer
pittoresque
charmant(e)
tranquille | C'est dans le sud. | Il y a 30 000 habitants. |

1 Regardez la carte. Recopiez les noms de ces villes et écoutez la cassette. Répondez aux questions et écrivez vos réponses à côté de chaque ville.

   a C'est comment comme ville?

   b C'est dans le nord, le sud, l'est ou l'ouest?

   c Il y a combien d'habitants?

2 Ecoutez et répétez les phrases qui décrivent votre ville ou votre village.

C'est à vous

3 Vous connaissez bien Brisbane et/ou Aberdeen?

   a Ecrivez une description de ces villes.

   b Ecoutez la cassette pour vérifier vos réponses.

Lyon est comment?

la rivière

le pont

le jardin zoologique

la cathédrale

la mairie

des grands magasins

la place du marché

Les phrases essentielles

Qu'est-ce qu'on peut faire à Lyon?

La cathédrale se trouve dans le centre-ville.

On peut visiter la cathédrale.

Le jardin zoologique se trouve près du stade.

On peut aller au jardin zoologique.

  1 Ecoutez la cassette. Vous entendez une description de Lyon. Regardez le dessin et notez en français les renseignements qui ne sont pas justes.

Exemple

Il n'y a pas de cathédrale.

  2 Ecoutez une description de Fleury. Notez les phrases qui décrivent cette ville.

Unité 1
7 sept

La région est comment?

les montagnes

le stade

la vallée

le lac

la forêt

Les phrases essentielles

La région est très belle.

Il y a une vallée très pittoresque avec une belle rivière.

Qu'est-ce qu'on peut faire dans la région?

On peut aller à la campagne.

On peut faire des promenades dans les montagnes.

On peut faire un pique-nique au bord du lac.

 3 Ecoutez une description de deux régions de France: la Bretagne qui se trouve dans l'ouest et les Pyrénées qui se trouvent dans le sud-ouest. Dessinez la couverture d'une brochure touristique pour chaque région.

> **C'est à vous**
>
> **4** Maintenant, décrivez votre ville et votre région. Imaginez que vous faites de la publicité pour des touristes.

Une ville touristique

1 Regardez ce plan de ville. Lisez les phrases.
Les phrases décrivent cette ville. Vous comprenez tout?

Vous voyez **la cathédrale** en face de **la mairie**.

Il y a **un arrêt d'autobus** à côté de **la banque**.

En sortant de **la poste**, vous allez tout droit et vous trouvez
la piscine près du **pont**.

Le jardin zoologique est derrière **le jardin public**.

La poste se trouve devant **la mairie**, au bout de **la rue
de Rivoli**.

La gare routière est entre **la place du marché** et **la plage**.

 2 On a préparé une cassette pour aider les
touristes. Ecoutez la cassette et notez les endroits.

C'est à vous

3 Vous pouvez préparer une
cassette touristique pour
votre ville?

---

1 Voici une lettre de Luc qui habite à Biarritz. Il décrit sa ville. Lisez la lettre.

Biarritz
le 6 avril

Salut!

Ça va? Tu t'amuses bien?

J'habite maintenant dans un nouvel appartement à Biarritz. Tu me demandes si j'aime habiter à Biarritz. Oui, j'aime beaucoup Biarritz. Il y a beaucoup de choses à faire pour les jeunes. On peut aller à la plage presque tous les jours. Il fait toujours beau temps. On peut jouer au volley-ball. Il y a aussi un nouveau stade où on peut regarder les matchs de football et de rugby.

Dans le centre-ville il y a beaucoup de magasins. Le week-end on peut faire les magasins, mais ils sont assez chers. Il y a aussi des discothèques qui ne coûtent pas très chères. Je vais toujours en discothèque, le samedi soir.

Biarritz est vraiment une ville pour les jeunes. Oui, je suis très content d'habiter ici. Par contre, la ville où habitent mes grand-parents est ennuyeuse. C'est une ville pour les vieux. Il n'y a rien à faire pour les jeunes. Et ta ville, elle est comment? Elle est où exactement? C'est aussi une ville pour les jeunes ou une ville pour les vieux? C'est une ville amusante ou ennuyeuse?

J'espère que tu vas venir me voir à Biarritz.

A bientôt,

Amitiés,

Luc.

 2 Ecoutez. Vous entendez la lettre. Notez les phrases qui décrivent votre ville.

Exemple

On peut aller à la plage/au café/au cinéma.

C'est à vous

3 Travaillez avec votre partenaire. Faites une présentation de votre ville. Dites si vous aimez votre ville et pourquoi.

Objectif 3 Comparez votre ville avec Nice

Les phrases essentielles

Je voudrais habiter à Nice, parce que...

Il fait plus beau à Nice.	Londres est plus grand que Nice.
Les magasins sont moins chers à Nice.	Il y a plus de magasins.
Il y a une plage à Nice, mais il n'y a pas de plage à Londres.	A Londres, il y a un jardin zoologique mais il n'y a pas de jardin zoologique à Nice.
Il y a moins de magasins.	C'est plus intéressant.

 1 Ecoutez la cassette. Lucie compare Nice avec Londres. A votre avis, elle préfère quelle ville?

 2 Ecoutez encore une fois et notez en français les phrases qu'elle utilise pour comparer les deux villes.

 3 Ecoutez et répétez les phrases que vous avez écrites.

> *Au secours!*
>
> Vous voulez comparer deux villes? C'est simple.
> - On utilise souvent les mots 'plus' ou 'moins'.
> - On peut aussi utiliser 'il y a' et 'il n'y a pas de'.

Voici le sommaire

Objectif 1 Décrivez votre ville

Où habitez-vous?	Where do you live?
J'habite à...	I live in...
C'est une ville touristique.	It's a town which is popular with tourists.
C'est une ville industrielle/ historique/ pittoresque/ tranquille/ charmante.	It's an industrial/ historic/ picturesque/ quiet/ charming town.
Il y a environ 350 000 habitants.	There are about 350,000 inhabitants.
C'est dans le nord/ le sud/ l'est/ l'ouest de la France.	It's in the north/ south/ east/ west of France
On peut visiter la cathédrale.	You can visit the cathedral.
On peut aller au jardin zoologique.	You can go to the zoo.
La région est très belle.	The region is very beautiful.
On peut aller à la campagne.	You can go to the country.
On peut faire des promenades dans les montagnes.	You can walk in the mountains.
On peut faire un pique-nique au bord du lac.	You can have a picnic beside the lake.
Il y a une vallée très pittoresque avec une belle rivière.	There is a very picturesque valley with a beautiful river.
La cathédrale est en face de la mairie.	The cathedral is opposite the town hall.
Il y a une poste à côté de la place du marché.	There is a post office next to the market place.
Près du pont.	Near the bridge.
Derrière la poste.	Behind the post office.
Devant la gare routière.	In front of the bus station.
Entre la poste et la banque.	Between the post office and the bank.

Objectif 2 Dites si vous aimez votre ville et pourquoi

J'aime beaucoup...	I like... a lot.
Je n'aime pas...	I don't like...
Il y a beaucoup de choses à faire.	There are lots of things to do.
Il n'y a rien à faire pour les jeunes.	There's nothing for young people to do.

Objectif 3 Comparez votre ville avec Nice

Je voudrais habiter à Nice, parce que...	I would like to live in Nice because...
Il fait plus beau temps.	The weather is better.
La ville est plus grande.	The town is larger.
Il n'y a pas de plage.	There isn't a beach.
Les magasins sont moins chers.	The shops are less expensive.
Il y a moins de magasins.	There are fewer shops.

Unité 2
Au collège

Les objectifs

Dans cette unité, vous allez apprendre à:

1 décrire une journée scolaire.

2 parler de vos matières préférées.

3 parler de ce que vous espérez faire comme métier.

Objectif 1 Décrire une journée scolaire

Je vais au collège	à pied. à vélo. en voiture. en bus. en train. en métro.

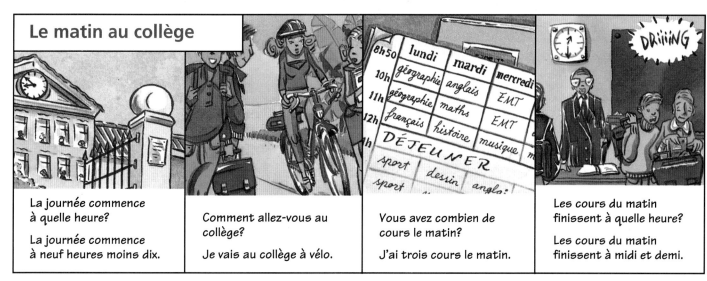

Le matin au collège

La journée commence
à quelle heure?

La journée commence
à neuf heures moins dix.

Comment allez-vous au
collège?

Je vais au collège à vélo.

Vous avez combien de
cours le matin?

J'ai trois cours le matin.

Les cours du matin
finissent à quelle heure?

Les cours du matin
finissent à midi et demi.

L'après-midi au collège

Vous déjeunez au
collège?

Oui, je déjeune à la
cantine.

Qu'est-ce que vous faites
pendant l'heure du
déjeuner?

Je joue aux cartes et je
parle avec mes copains et
copines.

La journée scolaire finit
à quelle heure?

La journée finit à quatre
heures et demie.

Vous avez des devoirs
à faire?

Oui, nous avons
beaucoup de devoirs,
deux heures par jour.

Apprenez les phrases

 1 Regardez la bande dessinée. Ecoutez et indiquez la
phrase que vous entendez.

 2 Ecoutez. Ecrivez les réponses que vous entendez.

 3 Ecrivez les questions qui correspondent à ces
réponses.

 4 Ecoutez et répétez:

    a les questions.

    b les réponses.

 5 Ecoutez et répondez aux questions sans arrêter la
cassette.

C'est à vous

6 Travaillez avec votre
partenaire. **A** pose des
questions au sujet de la
journée scolaire. **B** donne
les réponses. Ecoutez.
Deux Français font cela.
Ça vous aide?

Les phrases essentielles

Je déteste Je n'aime pas J'aime J'adore	l'anglais le français la musique le dessin l'EMT l'informatique les sciences les maths la géographie l'histoire le sport

Je suis fort(e) en	anglais français musique dessin EMT informatique sciences maths géographie histoire sport

J'adore la géographie. C'est intéressant et je suis fort(e) en géographie.

Je n'aime pas l'histoire. C'est ennuyeux et c'est difficile.

  1 Ecoutez. Thomas parle de ce qu'il fait le lundi. Ecrivez son emploi du temps.

 2 Ecoutez. Le professeur lit l'emploi du temps de Thomas. Vérifiez ce que vous avez écrit.

 3 Regardez et notez ces matières à gauche. Ecoutez et cochez les matières préférées des jeunes Français.

 4 Ecoutez et répétez:

   a vos matières préférées.

   b les matières que vous n'aimez pas.

   c les matières intéressantes.

C'est à vous

5 Ecrivez le nom de vos cinq matières préférées. Demandez à six personnes si elles aiment aussi ces matières.

Unité 2
15 quinze

Les phrases essentielles

Je vais J'espère Je voudrais	être	agent de police vendeur/vendeuse infirmier/infirmière fermier/fermière pompier/pompière steward/hôtesse de l'air

Pour moi, les maths et les sciences sont importantes parce que je voudrais être infirmier.

Pour moi, le dessin est important parce que je vais être coiffeuse.

1 Regardez ces métiers à droite. Notez les matières qui sont importantes pour chaque métier.

 2 Ecoutez. Vous avez choisi les bonnes matières?

3 Ecoutez. Vous entendez des élèves en classe. Notez les matières qu'ils font.

4 Ecoutez et répétez:

   a avec enthousiasme les matières et les métiers que vous trouvez intéressants.

   b sans enthousiasme ceux que vous trouvez ennuyeux.

C'est à vous

5 Préparez une présentation de votre collège. Ecoutez la présentation de deux francais. Ça vous aide?

Voici le sommaire

Objectif 1   Décrire une journée scolaire

La journée commence à quelle heure?

What time does the day start?

La journée commence à neuf heures moins dix.

The day starts at ten to nine.

Comment allez-vous au collège?

How do you get to school?

Je vais au collège à pied/ à vélo/ en voiture/ en bus/ en train/ en métro.

I go to school on foot/ by bike/ by car/ by bus/ by train/ on the underground.

Vous avez combien de cours, le matin?

How many lessons do you have in the morning?

J'ai trois cours le matin.

I have three lessons in the morning.

Les cours du matin finissent à quelle heure?

The morning lessons end at what time?

A midi et demie.

At half past twelve.

Vous déjeunez au collège?

Do you have lunch at school?

Oui, je déjeune à la cantine.

Yes, I have lunch in the canteen.

Qu'est-ce que vous faites pendant l'heure du déjeuner?

What do you do in the lunch hour?

Je joue aux cartes/ au football et je parle avec mes copains/copines.

I play cards/ football and I talk with my friends.

La journée scolaire finit à quelle heure?

What time does the school day finish?

La journée finit à quatre heures et demie.

The day finishes at half past four.

Vous avez des devoirs à faire?

Do you have homework to do?

Oui, nous avons beaucoup de devoirs, deux heures par jour.

Yes, we have lots of homework, two hours a day.

Objectif 2   Parlez de vos matières préférées

Quelle est votre matière préferée?

What is your favourite subject?

Je déteste/ Je n'aime pas/ J'aime/ J'adore/ Je suis fort(e) en…
les sciences/ l'anglais/ le français/ la musique/ le dessin/ l'EMT/ l'informatique/ les maths/ la géographie/ l'histoire/ le sport.

I hate/I don't like/ I like/I adore/ I am good at…
the sciences/ English/ French/ music/ art/ technology/ IT/ maths/ geography/ history/ sport.

C'est intéressant/ ennuyeux/ difficile.

It's interesting/ boring/ difficult.

Objectif 3 Parlez de ce que vous espérez faire comme métier

Pour moi, les sciences sont importantes parce que je voudrais être infirmier.

The sciences are important for me because I would like to be a nurse.

Je vais être mécanicienne.

I am going to be a mechanic.

un serveur/ une serveuse

a waiter/a waitress

un mécanicien/ une mécanicienne

a mechanic

un/ une secrétaire

a secretary

un agent de police

a police officer

un vendeur/une vendeuse

a salesman/woman

un infirmier/ une infirmière

a nurse

un fermier/ une fermière

a farmer

un coiffeur/ une coiffeuse

a hairdresser

un pompier

a fireman

une hôtesse de l'air

an air hostess

un steward

an air steward

Qu'est-ce que vous espérez faire comme métier?

What are you hoping to do as a career?

Unité 3
L'entretien

Les objectifs

Dans cette unité, vous allez réviser un peu et vous allez apprendre à:

1 vous préparer pour un entretien.

2 parler du travail que vous avez fait.

3 écrire un curriculum vitae.

4 parler de vous-même.

Objectif 1 Vous préparer pour un entretien

1 Regardez ces questions.

   A Où habitez-vous?

   B Parlez-moi de ce que vous aimez faire au collège.

   C Où avez-vous passé vos vacances?

   D Qu'est-ce que vous aimez faire?

 2 Ecoutez des réponses. Quelles sont les questions?

 **3** Ecoutez d'autres entretiens.

   a Pour chaque entretien écrivez la question que vous entendez.

   b Ecrivez aussi une réponse que vous entendez.

 4 Ecrivez vos réponses à vous. Regardez les Unités 1 et 2 pour vous aider.

Objectif 2 Parler du travail que vous avait fait

Les phrases essentielles

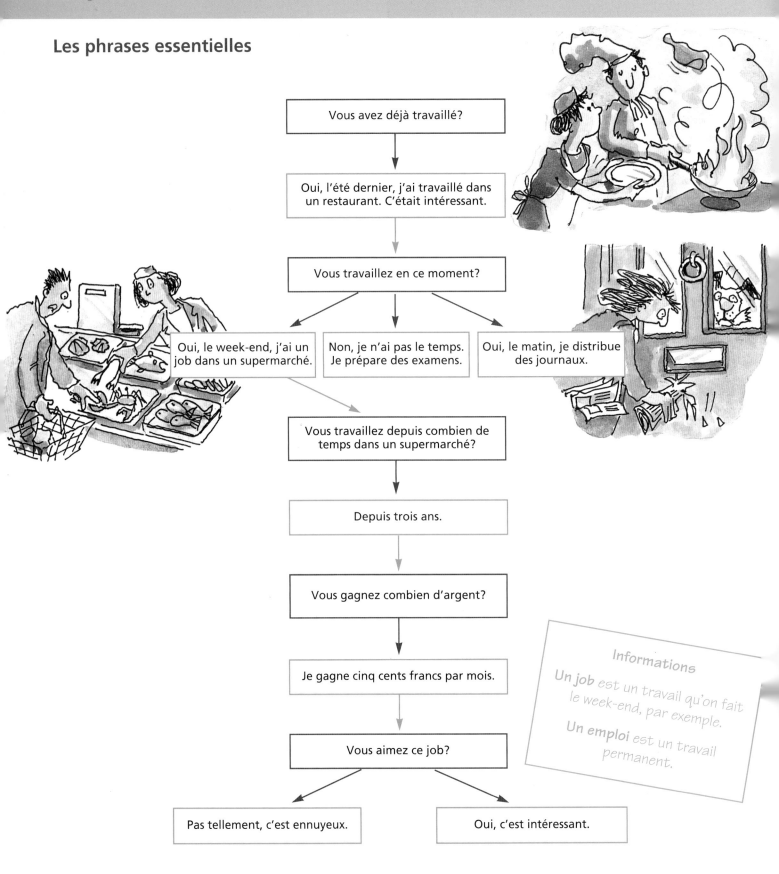

Vous avez déjà travaillé?

Oui, l'été dernier, j'ai travaillé dans un restaurant. C'était intéressant.

Vous travaillez en ce moment?

Oui, le week-end, j'ai un job dans un supermarché.

Non, je n'ai pas le temps. Je prépare des examens.

Oui, le matin, je distribue des journaux.

Vous travaillez depuis combien de temps dans un supermarché?

Depuis trois ans.

Vous gagnez combien d'argent?

Je gagne cinq cents francs par mois.

Vous aimez ce job?

Pas tellement, c'est ennuyeux.

Oui, c'est intéressant.

Informations

Un **job** est un travail qu'on fait le week-end, par exemple.

Un **emploi** est un travail permanent.

1 Ecoutez la cassette et indiquez les phrases essentielles que vous entendez.

 2 Regardez ces emplois.

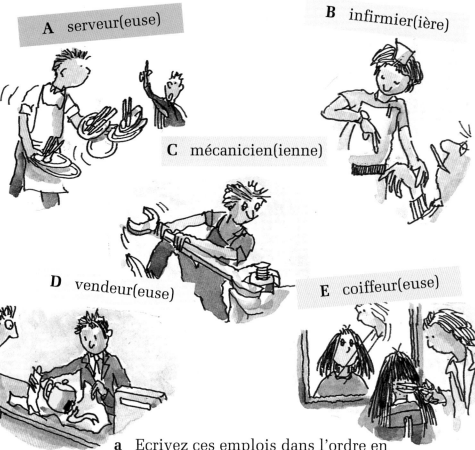

A serveur(euse)

B infirmier(ière)

C mécanicien(ienne)

D vendeur(euse)

E coiffeur(euse)

a Ecrivez ces emplois dans l'ordre en commençant par l'emploi qui paie le plus.

b Ecoutez. Des Français disent combien ils gagnent. Vous avez écrit les emplois dans le bon ordre?

 3 Ecoutez et répétez les emplois que vous voudriez avoir.

 4 Travaillez avec votre partenaire.
Le partenaire **A** pose des questions.
Le partenaire **B** répond.

Exemple

A: Vous avez déjà travaillé?

B: Oui, j'ai travaillé dans un supermarché.

C'est à vous

5 Lisez ces offres d'emplois.
Imaginez! Vous avez fini vos études au collège. Vous voulez travailler à Nice.
Vous choisissez quel emploi? Ecrivez votre réponse.

Exemple

Je voudrais l'emploi **A** parce que je travaille dans un supermarché en ce moment et parce que j'aime travailler dans un magasin.

A

OFFRE D'EMPLOI
Cherche vendeuse chaussures dames, références:

Monsieur Bougard, France Arno, 19, boulevard Garnier, 06000, Nice.

B

OFFRE D'EMPLOI
Office du Tourisme, Nice, recrute pour contrat 6 mois, personne dynamique, libre début mai.
Ecrire avec CV et photo à Office du Tourisme, 5, place Garibaldi, 06300, Nice.

Objectif 3 Ecrire un curriculum vitae

Vous écrivez un curriculum vitae.

> **Informations**
>
> Un curriculum vitae est un document qui vous présente à l'employeur(euse). L'employeur(euse) le lit et si il/elle est intéressé(e), il/elle vous invite à un entretien.

1 Regardez ce C.V.

> **Curriculum Vitae**
>
> **Nom:** White
>
> **Prénom:** Jane
>
> **Adresse:** 43, Edward Street
>
> **Code postal:** London, NW2 6AD
>
> **Tél:** 0181 126 8528
>
> **Date de naissance:** 24 mai 1981
>
> **Diplômes:** maths, français, anglais, sciences, géographie, dessin, informatique.
>
> **Emplois précédents:**
> 1994 - Caissière dans un supermarché.
> 1995 - Serveuse dans un restaurant.

2 Ecoutez. Un Français parle de son C.V. Notez les détails, par exemple: nom, loisirs. Il y a des différences entre son C.V. et le C.V. ci-dessus? Les détails que vous entendez sont dans quel ordre?

3 Ecrivez un C.V. dans l'ordre du C.V. que vous avez entendu.

4 Lisez cet article d'un magazine français, →
le magazine de l'emploi. Ça vous aide?

Un C.V. mal conçu peut vous éliminer en quelques secondes : seuls 4 à 5 % des C.V. reçus survivent.

Le rédiger vous aide à faire un bilan complet sur votre passé professionnel et extraprofessionnel. Il ne doit contenir que des informations qui permettent d' obtenir un entretien. Il n'existe ni forme standard, ni formule magique et miracle. Un C.V. est bon s'il plaît au lecteur, il est mauvais dans le cas contraire.

Un bon C.V. en quatre points :

● être facile à parcourir, à comprendre et à lire. Un recruteur ne lui accorde que 30 secondes.

● être adapté au lecteur. Il doit être en quelque sorte personnalisé, fait sur mesure pour le destinataire.

● avoir du poids. Il faut citer des faits précis, des réalisations concrètes en les chiffrant ou en les étayant de preuves tangibles.

● se démarquer par rapport à celui des autres candidats : votre C.V. doit sortir du lot par la qualité de sa présentation, de sa construction. De nombreuses candidatures sont éliminées simplement parce que la forme n'est pas correcte (ratures, fautes d'orthographes, etc.), la présentation mauvaise (confus, illisible, volumineux, mal rédigés, etc.), impersonnel et ennuyeux.

Règles élémentaires à respecter :

• court : deux à trois pages.
• tapé sur un traitement de texte à imprimante laser
• y accrocher ou faire imprimer votre photographie.
• ayez le souci du consommateur (votre lecteur) qui désire quelque chose de :
• bref : car il est pressé.
• vrai : car il n'aime pas les balivernes.
• non exhaustif : pour exciter ou piquer sa curiosité .

Unité 3

Objectif 4 Parler de vous-même

Vous arrivez à l'entretien.

On vous pose ces questions.

- Parlez-moi de vos hobbys.

- Parlez-moi de vous.

- Qu'est-ce que vous avez fait pendant les vacances?

- Vous avez déjà travaillé?

- Vous étudiez quelles matières au collège? Pourquoi?

 1 Il est important pour un entretien et pour l'examen de bien préparer vos réponses. Essayez d'écrire une réponse pour chaque question.

 2 Ecoutez la cassette. Vous entendez un entretien. Notez les réponses des Français. Ça vous aide à bien répondre.

 3 Regardez les dessins et écoutez la cassette. Vous entendez deux entretiens. A votre avis, quel entretien correspond à quel dessin?

> **Attention!**
>
> Faites attention à:
> a bien préparer vos réponses.
> b poser une question à la fin de l'entretien.
> c donner une bonne impression – souriez!
> d ce que vous portez.

A

B

Un bon entretien

1 Regardez les photos, **A** et **B**. Qui a eu un bon entretien?
Ecoutez. Vous avez bien choisi?

A

B

2 C'est maintenant votre
entretien! Travaillez avec
votre partenaire.

   a Le partenaire **A** pose les
questions. Le partenaire
B répond comme le
jeun Français de la
photo **A**.

   b Changez de rôle. Le
partenaire **B** pose les
questions. Le partenaire
A répond, mais comme
la jeune Française de
la photo **B**.

Au secours!

Regardez la Fiche 6.

Voici le sommaire

Objectif 1 Vous préparer pour l'entretien

Où habitez-vous?	Where do you live?
Parlez-moi de ce que vous aimez faire au collège.	Tell me what you like to do at school.
Où avez-vous passé vos vacances?	Where did you spend your holidays?
Qu'est-ce que vous aimez faire?	What do you like to do?

Objectif 2 Parler du travail que vous avez fait

Vous avez déjà travaillé?	Have you worked before?
Oui, l'été dernier, j'ai travaillé dans un restaurant.	Yes, last summer I worked in a restaurant.
C'était intéressant.	It was interesting.
J'ai un job dans un supermarché.	I've got a job in a supermarket.
Je distribue des journaux.	I deliver newspapers.
Vous travaillez depuis combien de temps dans le café?	How long have you been working in the café?
Depuis trois ans.	For three years.
Vous gagnez combien d'argent?	How much money do you earn?
Je gagne cinq cent francs par mois.	I earn five hundred francs a month.
Vous aimez ce job?	Do you like this job?
Pas tellement, c'est ennuyeux.	Not particularly, it is boring.
Oui, c'est intéressant.	Yes, it is interesting.

Objectif 3 Ecrire un curriculum vitae

Nom	Surname
Prénom	First name
Date de naissance	Date of birth
Diplômes	Qualifications
Emplois précédents	Previous employment

Objectif 4 Parler de vous-même

Parlez-moi de vous.	Tell me about yourself.
Je parle anglais et français.	I speak English and French.
Vous avez des clients anglais?	Do you have English customers?

Unité 4
Visiter la France

Les objectifs

Dans cette unité, vous allez apprendre à:

1 réserver une chambre dans un hôtel.

2 demander des renseignements à l'hôtel

3 changer de l'argent.

4 faire une réservation au camping ou à l'auberge de jeunesse.

Objectif 1 Réserver une chambre dans un hôtel

 1 Avec votre partenaire, notez des phrases qui sont utiles pour réserver une chambre. Ensuite, écoutez les dialogues et cochez toutes les phrases que vous avez notées.

 2 Ecoutez et notez les phrases qui ne sont pas sur votre liste.

 3 Ecoutez encore une fois et répétez toutes les phrases.

 4 Inventez un dialogue avec votre partenaire.

Écrire une lettre à l'hôtel

1 Si vous ne voulez pas téléphoner à l'hôtel, vous pouvez écrire une lettre. Lisez cette lettre.

Brighton
le 2 mars

Monsieur, Madame

Je voudrais passer les nuits du 8 au 10 août dans votre hôtel. Pouvez-vous me réserver une chambre, pour une personne et avec salle de bains?

Pouvez-vous m'indiquer le prix de la chambre avec le petit déjeuner? Je pense arriver à l'hôtel vers 18 heures.

Je vous remercie d'avance et je vous prie d'agréer, Monsieur, Madame, l'expression de mes sentiments les meilleurs.

Vicky Graham

 2 Ecoutez et répétez la lettre.

3 Recopiez la lettre mais laissez des blancs. Ensuite, fermez votre livre et complétez la lettre.

4 Recopiez ces mots. Utilisez-les pour écrire une lettre.

| passer | avec douche | le prix | je pense arriver |
| réserver | les nuits | vers | juillet |

 5 Recopiez la lettre, mais changez les mots en rouge pour réserver la chambre de la photo.

Objectif 2 Demander des renseignements à l'hôtel

Vous avez réservé votre chambre et vous arrivez à l'hôtel.
Que dites-vous?

(Arriver à l'hôtel)

A: J'ai réservé une chambre pour deux personnes pour
cette nuit.

B: Votre nom, s'il vous plaît?

A: Je m'appelle Danièle Meynet.

B: Oui, madame. C'est la chambre seize, au premier étage.

A: Le petit déjeuner est à quelle heure?

B: De sept heures à neuf heures.

A: Le dîner est à quelle heure?

B: De dix-neuf heures jusqu'à vingt et une heures.

(Plus tard)

A: La clef pour la chambre seize, s'il vous plaît.

  1 Ecoutez. Vous entendez des dialogues (**A–C**) à la
réception d'un hôtel. Recopiez et remplissez
cette grille.

Type de chambre	Combien de nuits	Numéro de la chambre

 2 Ecoutez et répétez le dialogue ci-dessus.

 3 Recopiez le dialogue, mais laissez un blanc à la
place des mots rouges. Ecoutez et complétez le
dialogue.

Objectif 3 Changer de l'argent

Vous voulez payer, mais vous n'avez pas assez d'argent français. Que faites-vous?

Il faut trouver un bureau de change.

 1 Ecoutez et lisez le dialogue.

A: Je voudrais changer cinquante livres sterling, s'il vous plaît.

B: Oui, monsieur. Votre passeport, s'il vous plaît.

A: Voilà, madame.

B: Merci. Voici quatre cents francs, monsieur.

un bureau de change

 2 Répétez le dialogue:

    a après la cassette.

    b avec la cassette.

    c sans la cassette.

C'est à vous

3 Maintenant, utilisez ces billets et ces pièces pour inventer des dialogues avec votre partenaire.

Objectif 4 Faire une réservation au camping

A: Vous avez de la place pour une tente?

B: Je suis désolée, mais nous sommes complets.

A: Vous avez de la place?

B: Vous avez réservé?

A: Non, nous n'avons pas réservé.

B: C'est pour combien de personnes?

1 Ecoutez le dialogue. C'est à l'auberge de jeunesse ou au camping?

2 Ecoutez et notez les phrases que vous entendez.

3 Mettez vos phrases dans le bon ordre pour faire un dialogue.

4 Ecoutez et répétez les phrases, mais faites attention! Il y a parfois des différences entre les phrases que vous entendez et les phrases dans la bande-dessinée.

5 Vous écoutez deux dialogues. Ecrivez un des dialogues et jouez-le avec votre partenaire.

LE COLOMBIER   T   D5

★★★★

35, Chemin Sainte-Colombe
06800 CAGNES-SUR-MER
Tel. 93.73.12.77

Cadre agréable, ambiance familiale, ombragé, calme, plat, tout confort, à 800m. du centre ville, 2 km. de la mer / Sanitaires soignés, eau chaude en cabines individuelles. Hors-saison : douche chauffée - Piscine gratuite, jeux, salle de TV. Laverie, bar, épicerie, plats à emporter. Réduction Hors-saison / En Juillet et Août : Réservation conseillée, chiens non admis. Ouvert du 15 Mars au 15 Octobre.

ou à l'auberge de jeunesse

A: Pour trois personnes.

B: Oui, nous avons de la place.

A: Il y a une salle de jeux?

B: Oui, il y a une salle de jeux ici.

A: Et où sont les toilettes, s'il vous plaît?

B: Les toilettes et les douches sont près des dortoirs.

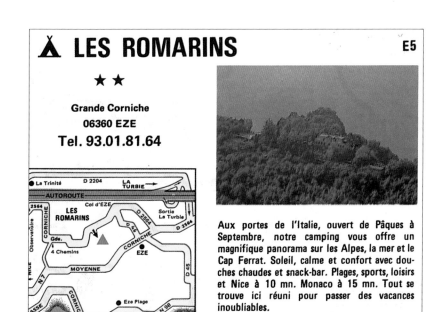

LES ROMARINS

E5

★ ★

Grande Corniche
06360 EZE
Tel. 93.01.81.64

Aux portes de l'Italie, ouvert de Pâques à Septembre, notre camping vous offre un magnifique panorama sur les Alpes, la mer et le Cap Ferrat. Soleil, calme et confort avec douches chaudes et snack-bar. Plages, sports, loisirs et Nice à 10 mn. Monaco à 15 mn. Tout se trouve ici réuni pour passer des vacances inoubliables.

6 Lisez ces dépliants et écrivez pour chaque phrase le nom du camping que vous avez choisi.

a Vous voulez un camping avec piscine.

b Vous voulez un camping près d'un village.

c Vous voulez un camping près de la mer.

d Vous voulez un camping calme.

Réussir aux examens

L'imprévu

Pendant l'examen, les dialogues ne sont pas toujours simples. Il y a parfois des situations imprévues. Voici des situations imprévues à l'hôtel.

Nous n'avons pas de chambres libres.

Nous n'avons que des chambres avec douche.

Une chambre avec douche coûte 800 francs par nuit.

Nous n'avons pas de restaurant.

 1 Ecoutez les dialogues. Quels sont les problèmes?

Exemple

A «Nous n'avons que des chambres avec douche.»

 2 Ecoutez les dialogues encore une fois. Que disent les Français quand ils ont un problème?

Exemple

A «Une chambre avec douche, alors.»

 3 Ecoutez et répétez le dialogue, mais avec calme. Il est important de rester calme quand on a des problèmes.

> A: Bonjour, madame. Le dîner est à quelle heure, s'il vous plaît?
>
> B: Je regrette, monsieur, mais nous n'avons pas de restaurant.
>
> A: Oh, c'est dommage. Il y a un bon restaurant près d'ici?
>
> B: Oui, monsieur. Il y a un bon restaurant en face de l'hôtel.

C'est à vous

4 Vous voulez une chambre pour une personne avec salle de bains. Vous n'avez que 250 francs. Regardez ce dessin. Que dites-vous?

Une chambre pour une personne avec salle de bains coûte 1000 francs.

Voici le sommaire

Objectif 1 Réserver une chambre dans un hôtel

Je voudrais passer les nuits du 8 août au 10 août dans votre hôtel.

I would like to spend the nights of the 8th to 10th August in your hotel.

Pouvez-vous me réserver une chambre?

Could you reserve a room for me?

Pouvez-vous m'indiquer le prix de la chambre?

Could you tell me the price of the room?

Nous pensons arriver vers dix-huit heures.

We should arrive at about 6pm.

Objectif 2 Demander des renseignements à l'hôtel

J'ai réservé une chambre pour cette nuit.

I have reserved a room for tonight.

Votre nom, s'il vous plaît?

Your name, please?

C'est la chambre seize.

It is room sixteen.

Le petit déjeuner/ Le déjeuner/ Le dîner est à quelle heure?

Breakfast/ Lunch/ Dinner is at what time?

De dix-neuf heures à vingt heures.

From 7pm to 8pm.

La clef pour la chambre seize, s'il vous plaît.

The key for room sixteen, please.

Objectif 3 Changer de l'argent

Je voudrais changer cinquante livres sterling.

I would like to change £50.

Votre passeport, s'il vous plaît.

Your passport, please.

Objectif 4 Faire une réservation au camping ou à l'auberge de jeunesse

Vous avez de la place?

Have you got any room?

C'est pour combien de personnes?

It's for how many people?

Pour trois personnes: deux femmes et un homme.

For three people: two women and a man.

Il y a une salle de jeux?

Is there a games room?

Où sont les toilettes?

Where are the toilets?

Les toilettes sont près des dortoirs.

The toilets are near the dormitories.

Vous avez de la place pour une tente?

Have you got room for a tent?

Je suis désolé(e), mais nous sommes complets.

I am sorry, but we are full.

tomates
8F le kilo

pommes de terre
7F le kilo

carottes
4F le kilo

haricots verts
23F le kilo

Unité 5
Les magasins

Les objectifs

Dans cette unité, vous allez apprendre à:

1 acheter des fruits et des légumes.

2 acheter d'autres provisions.

3 trouver les magasins.

Objectif 1 Acheter des fruits et des légumes

Les phrases essentielles

A: Vous désirez, madame?

B: Donnez-moi un kilo de pommes, s'il vous plaît.

A: Et avec ça?

B: Je voudrais aussi des cerises.

A: Vous en voulez combien, madame?

B: Cinq cents grammes de cerises, s'il vous plaît.

A: Voilà, madame. C'est tout?

B: Oui, c'est tout. Ça fait combien?

A: Ça fait 28 francs, s'il vous plaît, madame.

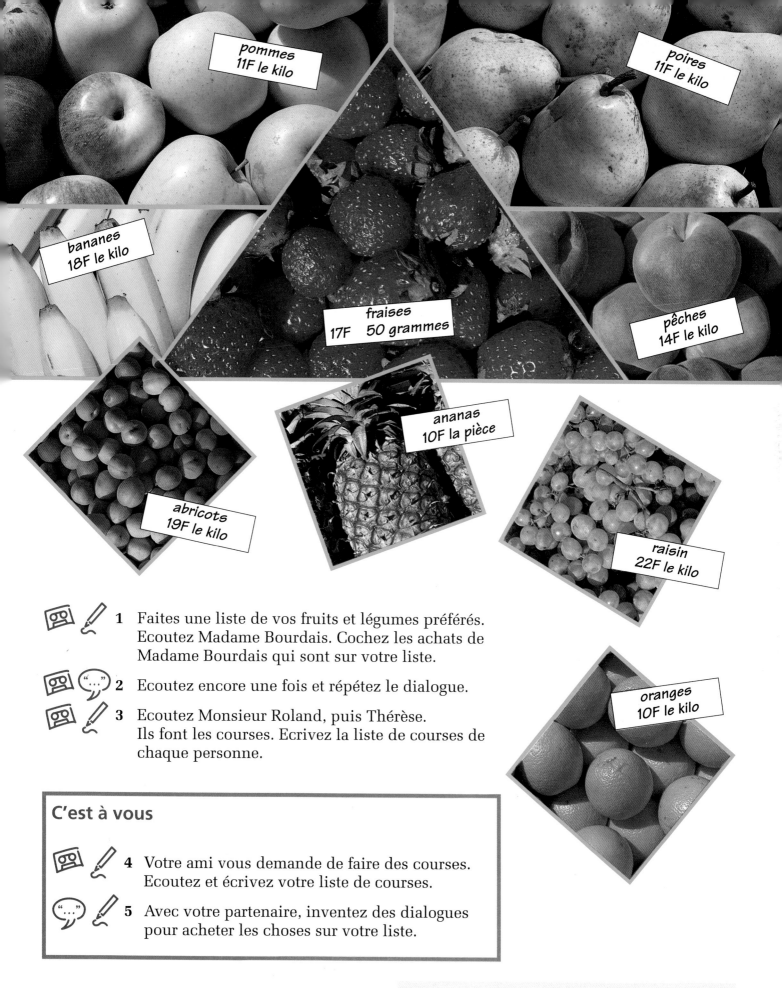

pommes
11F le kilo

poires
11F le kilo

bananes
18F le kilo

fraises
17F   50 grammes

pêches
14F le kilo

abricots
19F le kilo

ananas
10F la pièce

raisin
22F le kilo

oranges
10F le kilo

1 Faites une liste de vos fruits et légumes préférés. Ecoutez Madame Bourdais. Cochez les achats de Madame Bourdais qui sont sur votre liste.

2 Ecoutez encore une fois et répétez le dialogue.

3 Ecoutez Monsieur Roland, puis Thérèse. Ils font les courses. Ecrivez la liste de courses de chaque personne.

C'est à vous

4 Votre ami vous demande de faire des courses. Ecoutez et écrivez votre liste de courses.

5 Avec votre partenaire, inventez des dialogues pour acheter les choses sur votre liste.

1 Regardez toutes ces provisions. Faites deux listes de:

a ce qu'on boit.

b ce qu'on mange.

un pot de confiture

150 grammes de beurre

une douzaine d'œufs

une boîte de...   petits pois/ pâté/ carottes

trois tranches de...   saucisson/ jambon/ fromage

un paquet de...   café/ thé/ sucre /biscuits /bonbons

une bouteille...   de Coca-Cola/ d'Orangina/ de limonade/ d'eau minérale

 2 Paul va préparer un dîner pour des amis. Ecoutez et écrivez sa liste de courses.

 3 Paul fait ses courses mais il oublie certaines choses. Ecoutez et notez-les.

 4 Ecoutez et répétez ce qu'on prend pour:

a le petit déjeuner.

b le déjeuner.

c le dîner.

C'est à vous

5 Voici votre liste de courses.
Travaillez avec votre partenaire et jouez les dialogues.

un litre de lait
une boîte de carottes
12 œufs
de la confiture
du jambon
des biscuits

Objectif 3 Trouver les magasins

 1 Regardez les magasins et lisez les phrases. Notez les magasins et les phrases qui correspondent.

A Ici, on peut acheter du café.

B Ici, on peut acheter du steak.

C Ici, on peut acheter du pain.

D Ici, on peut acheter du fromage.

E Ici, on peut acheter de l'aspirine.

F Ici, on peut acheter des gâteaux.

 2 Ecoutez. Les gens sont dans quels magasins?
Ecrivez le nom du magasin pour chaque dialogue.

L'imprévu

 1 Regardez ces deux dialogues. Quels sont les problèmes? Ecoutez et répétez les deux dialogues. Faites attention aux mots en rouge.

Dialogue 1

A: Bonjour, madame. Je voudrais trois tranches de jambon, s'il vous plaît.

B: Je regrette, monsieur, mais nous n'avons plus de jambon.

A: Oh, ça ne fait rien. Donnez-moi une boîte de carottes, s'il vous plaît.

B: Voilà, monsieur. C'est tout?

A: Avez-vous du pain, madame?

B: Je regrette, mais je n'ai plus de pain, monsieur.

A: Il y a une boulangerie près d'ici?

B: Oui, vous tournez à droite et la boulangerie est sur votre gauche.

A: Merci beaucoup, madame.

Dialogue 2

A: Vous désirez?

B: Je voudrais un kilo de pommes et un kilo de poires, s'il vous plaît.

A: Voilà, madame. Et, avec ça?

B: C'est tout. Ça fait combien?

A: Les pommes 11 francs et les poires 11 francs. Ça fait 24 francs, madame.

B: 24 francs? Il n'y a pas une erreur?

A: Euh...oui. Pardon, madame. Ça fait 22 francs.

 2 Ecoutez et complétez les dialogues sans arrêter la cassette.

> **Exemple**
>
> **Vous entendez:** 'Je n'ai plus de gâteaux'
>
> **Vous dites:** 'Il y a une pâtisserie près d'ici?'

 3 Ecoutez. Ça fait combien? S'il y a une erreur, corrigez-la.

 4 Regardez les dialogues. Travaillez avec votre partenaire et changez les mots en rouge. Vous pouvez faire combien de dialogues en dix minutes?

Les dialogues

 1 Pendant l'examen, vous allez faire des dialogues avec des symboles. Regardez ces symboles et faites les dialogues avec votre partenaire.

Dialogue 1

A: ?

B:

A: + ?

B:

A: + ?

B: ? F

A: 15F

B: 15F!

A: 12F

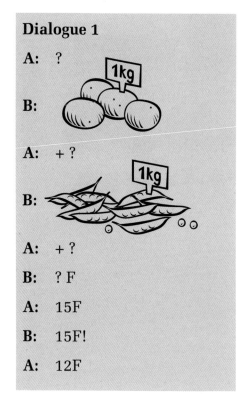

Dialogue 2

A: ?

B:

A: Non

B: BOULANGERIE ?

A:

B: ?

A: Non

B: ?

A: Oui

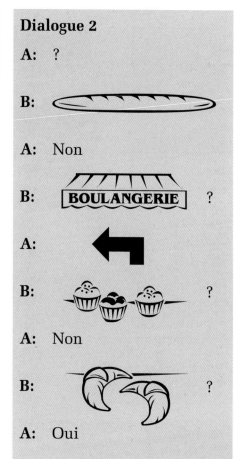

 2 Regardez ce dessin. Choisissez deux choses que vous voulez acheter. Avec votre partenaire, inventez des dialogues.

Encore des dialogues

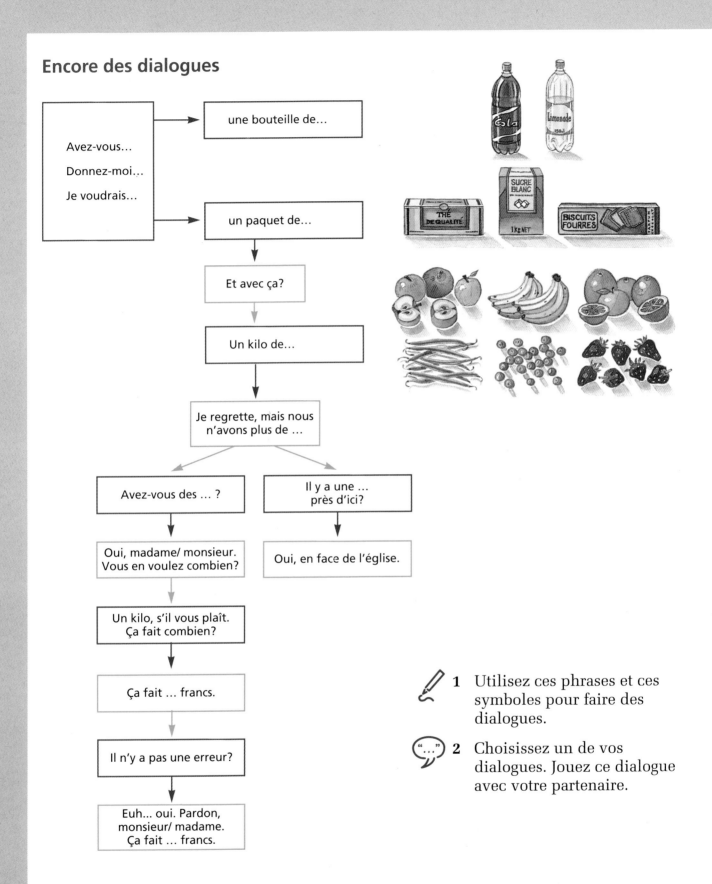

Avez-vous...
Donnez-moi...
Je voudrais...

→ une bouteille de...

→ un paquet de...

↓ Et avec ça?

↓ Un kilo de...

↓ Je regrette, mais nous n'avons plus de ...

Avez-vous des ... ?

Il y a une ...
près d'ici?

Oui, madame/ monsieur.
Vous en voulez combien?

Oui, en face de l'église.

Un kilo, s'il vous plaît.
Ça fait combien?

Ça fait ... francs.

Il n'y a pas une erreur?

Euh... oui. Pardon,
monsieur/ madame.
Ça fait ... francs.

1 Utilisez ces phrases et ces symboles pour faire des dialogues.

2 Choisissez un de vos dialogues. Jouez ce dialogue avec votre partenaire.

Les questions de l'examen

  1 Vous avez oublié votre liste de courses.
Vous téléphonez à votre amie pour demander
la liste. Ecoutez et écrivez la liste.

 2 Regardez ces deux photos.
Sandrine a fait des courses.
Elle a acheté les choses de
la photo **A** ou les choses
de la photo **B**?

B

A

 3 Regardez la liste de courses et aussi la liste de
magasins. Ecrivez le numéro de chaque achat
avec la lettre du magasin qui correspond.

Exemple

1 Je voudrais un pot de confiture.

G L'épicerie

Je voudrais...

1 un pot de confiture.

2 une boîte d'haricots verts.

3 du pain.

4 un tube d'aspirine.

5 un litre de lait et 500 grammes de fromage.

6 cinq éclairs.

7 500 grammes de steak.

8 quatre tranches de jambon.

A la pharmacie

B la charcuterie

C la boulangerie

D le supermarché

E la pâtisserie

F la boucherie

G l'épicerie

H la crémerie

Voici le sommaire

Objectif 1 Acheter des fruits et des légumes

Vous désirez?

Can I help you?

Un kilo d'abricots/
de bananes/ d'oranges/
de tomates/ de carottes/
de haricots verts/
de pommes de terre/
de poires/ de pommes/
de cerises/ de raisins/
de pêches/ de petits pois/
de fraises.

A kilo of apricots/
of bananas/ of oranges/
of tomatoes/ of carrots/
of green beans/
of potatoes/
of pears/ of apples/
of cherries/ of grapes/
of peaches/ of peas/
of strawberries/

Et, avec ça?

And anything else?

Un ananas.

A pineapple.

Combien d'abricots?

How many apricots?

C'est tout?

Is that all?

Ça fait combien?

How much does that
come to?

Ça fait dix-sept
francs.

That comes to seventeen
francs.

Il n'y a pas une erreur?

Isn't there a mistake?

Objectif 2 Acheter des provisions

Du pain.

Some bread.

Du fromage.

Some cheese.

Un pot de confiture.

A jar of jam.

Une boîte de petits pois.

A tin of peas.

Trois tranches de
saucisson/ fromage/ jambon.

Three slices of
sausage/ cheese/ ham.

Nous n'avons pas de jambon.

We haven't any ham.

Je n'ai plus de pain.

I've got no bread left.

Donnez-moi du pâté.

Give me some paté.

Un paquet de café/ thé/
sucre/ biscuits/ bonbons.

A packet of coffee/ tea/
sugar/ biscuits/ sweets.

Cinq cents grammes
de beurre.

Five hundred grammes
of butter.

Une douzaine d'œufs.

A dozen eggs.

Une bouteille de limonade/
d'Orangina/ de Coca-Cola/
de parfum

A bottle of lemonade/
of Orangina/ of Coca Cola/
of perfume.

Objectif 3 Trouver les magasins

la boulangerie

the baker's

la boucherie

the butcher's

la charcuterie

the pork butcher

la crémerie

the dairy

l'épicerie

the grocer's

le supermarché

the supermarket

la pâtisserie

the cake shop

la pharmacie

the chemist

Il y a une boulangerie
près d'ici?

Is there a baker's
near here?

Unité 6
Au restaurant

Les objectifs

Dans cette unité, vous allez réviser un peu et vous allez apprendre à:

1 commander à boire et à manger dans un café.

3 comprendre le menu.

2 demander une table.

4 commander un repas et payer l'addition.

Objectif 1 Commander à boire et à manger dans un café

 1 Regardez le collage ci-dessus et recopiez ces phrases. Pouvez-vous ajouter encore des phrases?

A boire

un café-crème
une bière
un jus d'orange

A manger

un sandwich au fromage
un hot-dog
une pizza
des frites

 2 Ecoutez. Vous entendez quatre dialogues (**A** à **D**). Ecrivez la lettre du dialogue à côté du bon mot dans votre liste.

Objectif 2 Demander une table

A: Bonsoir, monsieur. Vous avez une table de libre,
s'il vous plaît?

B: Vous êtes combien?

A: Deux personnes.

B: Oui, monsieur. Il y a une table près de la fenêtre.
C'est par ici.

 1 Voici une grille des tables réservées dans un
restaurant. Ecoutez. Les Français arrivent dans le
restaurant. Regardez cette grille. Il y a des erreurs?

Nom	Table	Personnes	L'heure
Leblanc	à droite	3	20h00
Alexandre	à côté de la porte	6	21h00
Lafite	dans le coin	4	19h30
Michaud	près de la fenêtre	2	20h30

 2 Ecoutez encore une fois et remplissez une grille
correspondant aux dialogues que vous entendez.

 3 Regardez cette bande dessinée. Jouez le dialogue
avec votre partenaire.

Le menu à 90F

Pour commencer
  Potage du jour
  Melon

Plat principal
  Steak grillé
  Poulet rôti
  Poisson du jour

Légumes
  Pommes de terre
  Chou-fleur
  Petits pois

Une demi-carafe de vin blanc
ou
de vin rouge

Une bouteille d'eau minérale

La carte

Pour commencer
  Hors-d'œuvre 60F
  Crudités 40F
  Salade de tomates 50F

Plat principal
  Rôti de bœuf 120F
  Rôti de porc 110F
  Escalope de veau 150F
  Côtelette d'agneau 140F
  Omelette au jambon 90F

Légumes
  Riz 30F
  Pommes allumettes 25F
  Chou 30F
  Champignons 35F
  Oignons 20F

 1 Imaginez que vous êtes serveur/serveuse dans un restaurant. Ecoutez et écrivez ce que les clients commandent.

 2 Ecoutez des dialogues (**A** à **C**). Vous entendez des clients qui disent ce qu'ils voudraient manger. Le serveur va à la cuisine et répète leurs commandes au chef. Il répète bien les commandes?

  a Si la commande est juste, répétez-la.

  b Si la commande n'est pas juste, corrigez-la.

Informations

- Si vous demandez **le menu**, vous payez le repas à prix fixe.

- Si vous demandez **la carte**, vous payez chaque plat individuellement.

- D'habitude, la carte est plus chère.

C'est à vous

3 Choisissez un repas pour votre partenaire. Notez-le et demandez-lui ce qu'il voudrait manger. Vous connaissez bien votre partenaire? Vous avez bien choisi?

1 Regardez ces desserts de maison et ecoutez les dialogues (**A** à **D**). Des clients posent la question, «C'est quoi la tarte maison?». Ecrivez, en français, la tarte maison pour chaque dialogue.

 2 Ecoutez. Dans ce restaurant, il y a un dessert différent pour chaque jour de la semaine. Ecoutez et écrivez le dessert pour chaque jour.

une glace à la vanille

une tarte aux fraises

une tarte au citron

un gâteau au chocolat

une glace à la fraise

une tarte aux framboises

3 Ecoutez et lisez ce dialogue. Ecoutez un autre dialogue. Notez les différences.

 4 Avec votre partenaire, écoutez encore une fois et répétez les rôles, **A** et **B**.

5 Jouez le dialogue avec votre partenaire sans la cassette. Remplacez les mots en rouge.

(Arriver au restaurant.)

A: Bonjour, madame. J'ai réservé une table pour huit heures trente, pour deux personnes.

B: C'est à quel nom, monsieur?

A: C'est au nom de Guyot.

B: Ah, oui, Monsieur Guyot. Vous avez une table près de la fenêtre. C'est par ici.

(Demander la carte.)

A: La carte, s'il vous plaît.

(Commander le repas.)

B: Vous avez choisi?

A: Oui, pour commencer, je prends la salade de tomates et après ça le poulet rôti avec des pommes allumettes et du chou-fleur.

B: Et pour madame?

C: Je prends le menu à 100 francs, s'il vous plaît.

B: Et comme boisson?

A: Une bouteille de vin rouge et une carafe d'eau, s'il vous plaît.

(Choisir un dessert.)

B: Qu'est-ce que vous prenez comme dessert?

C: Une glace à la framboise, s'il vous plaît.

B: Et pour vous, monsieur?

A: C'est quoi, la tarte maison?

B: C'est une tarte au citron, monsieur.

A: Ah bon, la tarte au citron, s'il vous plaît et deux cafés.

B: Merci, monsieur.

(Payer l'addition.)

A: Madame! L'addition, s'il vous plaît.

B: Ça fait 420 francs, monsieur.

A: Le service est compris?

B: Oui, le service est compris, monsieur.

C'est à vous

6 Avec votre partenaire, choisissez un repas et puis inventez un dialogue comme le dialogue ci-dessus.

Réussir aux examens

1 Voici des annonces pour des restaurants.
Choisissez le meilleur restaurant pour:

a Monsieur Lebrun, qui n'aime pas les grands restaurants dans le centre-ville.

b Madame Gresson, qui aime manger du poisson.

c Monsieur Alexandre, qui n'a que soixante francs.

A LA VICTORINE
Le restaurant des studios. Un bon scénario pour une cuisine sans cinéma; déjeuners en terrasse, mariages, galas. Destination stars: 93.71.43.68. Fax 93.71.33.30.

LE CRÉOLE (10, rue Dalpozzo, Nice. Tél. 93.83.19.09) vous informe de son ouverture et vous propose ses spécialités îles de la Réunion. Menu de 65 à 170F. Punch offert (fermé mercredi à midi).

Parking. Tél. 93.37.87.07.

COCO-BEACH. – Restaurant de poissons. Langouste grillées. Vue unique. Fermé dimanche et lundi. Nice, tél. 93.86.39.26.

LE GRAND PAVOIS. – Le spécialiste de la mer. Huîtres, oursins, bouillabaisse, homard et poissons frais grillés. Menu: 120F. Buffet 85F (déjeuner). 11, rue Meyerbeer, Nice. 93.88.77.42.

8, rue Maccarani. Nice. 93.87.72.68.

DE SAINT-LAURENT-DU-VAR
LE PRIEURÉ MONSO – A découvrir, cœur vieux village: 93.14.42.00. Menus 120 et 150F + carte. Spécialité: marmite du pêcheur.

LE MISSISSIPI. – Vous propose ses plats cuisinés et fumés par son chef Daniel Lebrun, midi et soir (dîner dansant). Menu à partir de 98F. Tél. 93.82.06.61.

DE SAINT-PANCRACE
RESTAURANT CICION. – Pour célébrer de la plus belle façon le jour de sa communion… il n'y a rien de plus bon qu'un repas chez Cicion. 496, rte de Pessicart. Nice.

DE SAINT-JEANNET
LES 100 CHENES (route Gattières, 93.24.90.58). – Menus à partir de 60F, fériés à partir de 100F.

DE BREIL-SUR-ROYA
CASTEL DU ROY. – Bord de la rivière. Restaurant Gastro et hôtel détente. Des produits frais, une qualité sûre. 93.04.43.66.

DE SAINT-PIERRE-DE-FÉRIC
LE MAS DES OLIVIERS. – Gilbert propose menus qualité 80-160F s.c. Tél. 92.09.91.25.

Menu Campi
39F
Prix net - Boisson comprise*

Cocktail Junior
___

Entrée Campi
ou
Le potage du jour
___

Le steak haché
ou
Jambon
ou
Les croquettes de poisson pané
ou
Deux œufs sur le plat
ou
La marmite d'aujourd'hui accompagnés de frites ou de pâtes à volonté
___

Le chocolat glacé

* ½ eau minérale 50 cl ou 1 soda 20 cl

MENU RÉSERVÉ AUX ENFANTS DE MOINS DE 12 ANS

2 Regardez ce menu et répondez aux questions.

a Ce menu est pour qui?

b Quelles sont les boissons?

c Votre jeune ami(e) est végétarien(ne). Qu'est-ce qu'il/elle peut manger comme plat principal?

d C'est quoi, le dessert?

3 Regardez ces trois dessins et écoutez la cassette.
Le monsieur commande quel repas?

A

B

C

4 Regardez la descriptions des glaces (**1** à **8**).
Trouvez le bon dessin (**A** à **H**) pour chaque
glace. Ecrivez la lettre du dessin à côté du
numéro de la description.

Exemple

1D

1 Praliné amandes

Une crème glacée à la vanille, des morceaux d'amandes italiennes et un filet de caramel.

2 Fraise

41% de fraises du Périgord pour le parfum favori des enfants.

3 Triple chocolat

Pour les amoureux du chocolat noir, la version glacée de la mousse au chocolat à l'ancienne.

4 Caramel écossais

Crème glacée au caramel et à la vanille, avec des filets et des morceaux de caramel.

5 Café meringue

Le mariage réussi de l'Expresso et de la meringue, accompagné d'un filet de chocolat noir.

6 Menthe chocolat

Le mélange subtil de la menthe de Kennewick et des pépites de chocolat.

7 Triple vanille

Une crème anglaise à base de gousses de vanille de Madagascar.

8 Sorbet citron

Le jus de citron jaune et le zeste du citron vert de Sicile.

A

B

C

D

E

F

G

E

Voici le sommaire

Objectif 1 Commander à boire et à manger dans un café

un café-crème	one/a white coffee
une bière	one/a beer
un jus d'orange	an orange juice
un sandwich au fromage	one/a cheese sandwich
un hot-dog	one/a hot dog
une pizza	one/a pizza
des frites	some chips

Objectif 2 Demander une table

Vous avez une table de libre?	Have you got a free table?
J'ai réservé une table au nom de Gresson.	I have reserved a table in the name of Gresson.
Il y a une table...	There is a table...
à droite/ à côté de la porte/	on the right/ near the door/
dans le coin/ près de la fenêtre.	in the corner/ near the window.
C'est par ici.	It is this way.

Objectif 3 Comprendre le menu

la carte	the menu	le rôti de bœuf	the roast beef
le menu	the fixed price meal	le rôti de porc	the roast pork
le potage du jour	the soup of the day	l'escalope de veau	the veal escalope
le melon	the melon	la côtelette d'agneau	the lamb chop
le steak grillé	the grilled steak	une omelette au jambon	a ham omelette
le poulet rôti	the roast chicken	du riz	some rice
le poisson	the fish	des pommes allumettes	some matchstick chips
du chou-fleur	some cauliflower	du chou	some cabbage
une demi-carafe de vin blanc/ rouge	half a carafe of white/ red wine	des champignons	some mushrooms
Pour commencer...	To start...	des oignons	some onions
des crudités	a selection of raw vegetables		

Objectif 4 Commander un repas et payer l'addition

Vous avez choisi?	Have you chosen?
Je prends le menu à 100 francs.	I'll have the menu for 100 francs.
Comme boisson?	To drink?
Une bouteille d'eau minérale.	A bottle of mineral water.
Qu'est-ce que vous prenez comme dessert?	What would you like for dessert?
La tarte maison.	The home-made tart.
Des glaces.	Some (a selection of) ice creams.
C'est quoi, la tarte maison?	What is the home-made tart?
L'addition, s'il vous plaît.	The bill, please.
Le service est compris?	Is service included?

Unité 7
Vous êtes comment?

Les objectifs

Dans cette unité, vous allez réviser un peu et vous allez apprendre à:

1 dire votre âge.

2 décrire vos caractéristiques physiques.

3 décrire votre caractère.

Objectif 1 Dites votre âge

A: C'est quand, votre anniversaire?

B: Mon anniversaire est le 24 mai

A: Quel âge avez-vous?

B: J'ai vingt ans.

 1 Lisez le dialogue. Puis écoutez et répétez.

 2 Ecoutez. Essayez de répondre aux questions sans arrêter la cassette. Changez les mots en rouge.

 3 Jouez le dialogue avec votre partenaire.

J'ai	les cheveux	courts longs noirs bruns blonds
	les yeux	bleus verts marron
	une barbe	noire blonde brune

Je suis	petit(e) grand(e) gros(se) mince
Je porte	des lunettes un jean

A

B

 1 Lisez les phrases et regardez ces photos. Choisissez les phrases qui décrivent ces personnes.

 2 Ecoutez les descriptions. Vous avez choisi les phrases qui correspondent?

 3 Ecoutez trois autres descriptions. Dessinez les trois personnes.

 4 Ecoutez et répétez seulement les phrases qui vous décrivent.

C'est à vous

5 Regardez dans un miroir. Qu'est-ce que vous voyez? Décrivez-vous à votre partenaire.

Objectif 3 Décrivez votre caractère

Je suis	souvent parfois toujours	amusant(e) aimable drôle bête timide sérieux(ieuse) charmant(e) sympa

A

B

C

D

 1 Regardez ces dessins (**A** à **E**). Ce sont quels genres de personnes? Notez les mots qui, à votre avis, décrivent ces personnes.

 2 Ecoutez. Les personnes des dessins se décrivent. Vous avez choisi les mêmes mots pour les décrire?

 3 Ecoutez et notez les phrases que vous pouvez utiliser pour décrire votre caractère.

C'est à vous

4 Vous êtes comment? Décrivez votre caractère à votre partenaire. Essayez de parler pendant une minute.

E

1 Des Français sont dans un restaurant. Ecoutez et choisissez le mot qui caractérise chaque personne.

timide

charmant(e)

impatient(e)

calme

> **Exemple**
>
> **A** impatiente

 2 Ecoutez. Des Françaises se décrivent.
Quelle photo correspond à quelle description?

A

B

C

 3 Regardez ces questions. Vous pouvez répondre à ces questions? Ecoutez. Trois français répondent aux questions. Ça vous aide?

1 Vous êtes comment?

2 Vous avez les cheveux de quelle couleur?

3 Vous avez les yeux bleus?

4 Vous êtes grand(e)?

5 Décrivez votre caractère.

 4 Maintenant, essayez de répondre aux questions (**1** à **5**) sans arrêter la cassette.

Les questions de l'examen

Vous allez entendre ces mots pendant l'examen.
Il est important de bien les comprendre.

Qui?

Quel?

Pourquoi?

Quand?

Qu'est-ce que?

Comment?

Quoi?

Où?

Combien?

  1 Recopiez et traduisez ces mots.

2 Ecoutez. Vous entendez des questions de l'examen. Notez les mots anglais de votre liste qui correspondent aux mots français que vous entendez.

 3 Vous allez peut-être entendre ces questions (**A** à **H**) pendant l'examen. Avec votre partenaire traduisez-les en anglais et répondez en français.

A La journée scolaire commence quand?

B Qui est votre professeur de maths?

C Il/elle est comment?

D Quelle est votre matière préférée? Pourquoi?

E Où habitez-vous?

F Vous avez combien de chambres?

G Qu'est-ce que vous faites, le week-end?

H C'est quoi, la tarte maison?

Voici le sommaire

Objectif 1 Dites votre âge

C'est quand, votre anniversaire?

Mon anniversaire est le 9 août.

Quel âge avez-vous?

J'ai dix-neuf ans.

When is your birthday?

My birthday is on the 9th August.

How old are you?

I am nineteen.

Objectif 2 Décrivez vos caractéristiques physiques

Vous êtes comment?

Je suis grand(e)/ gros(se)/ petit(e)/ mince.

J'ai les cheveux longs et blonds.

J'ai les cheveux bruns/ noirs/ courts.

J'ai les yeux bleus/ verts/ marron.

J'ai une barbe.

Je porte des lunettes.

How would you describe yourself?

I am tall/ fat/ small/ thin.

I have long, blonde hair.

I have brown/ black/ short hair.

I have blue/ green/ brown eyes.

I 've got a beard.

I wear glasses.

Objectif 3 Décrivez votre caractère

Vous êtes quel genre de personne?

Je suis amusant(e)/ aimable/ timide/ drôle/ charmant(e).

Je suis parfois bête.

Je suis souvent sérieux(ieuse).

Je suis toujours sympa/ impatient(e)/ calme.

What sort of person are you?

I am amusing/ friendly/ shy/ funny/ charming.

I am sometimes silly.

I am often serious.

I am always nice/ impatient/ calm.

Unité 8
Acheter des vêtements

Les objectifs

Dans cette unité, vous allez réviser un peu et vous allez apprendre à:

1 dire ce que vous voulez acheter.

2 décrire les vêtements que vous aimez.

3 comprendre des pancartes dans un grand magasin.

Objectif 1 Dites ce que vous voulez acheter

A: Bonjour, mademoiselle. Vous désirez?

B: Je voudrais acheter un chapeau, s'il vous plaît.

A: Oui, mademoiselle. Quelle couleur?

B: Vous avez des chapeaux jaunes?

A: Oui. Quelle taille?

B: Mm... moyenne. Je peux l'essayer?

A: Oui, bien sûr.

B: Bon, c'est parfait.

 1 Vous entendez deux autres dialogues. Répétez-les.

 2 Jouez ce dialogue avec votre partenaire mais changez les mots en rouge.

Vous et vos
VÊTEMENTS

Qu'est-ce que vous aimez comme vêtements? Regardez ces photos et ces descriptions. Quelle description est vraie pour vous? Est-ce que ces vêtements correspondent à ce que vous aimez porter?

A

Vous aimez faire des promenades à la campagne même en hiver. Vous portez des manteaux, des chaussures et des chaussettes très confortables, des pantalons en laine et des pulls. Vous aimez les couleurs de la nature: vert, bleu et marron.

B

Vous aimez les vacances au soleil. Vous portez des robes en coton, des sandales, des chapeaux, des jupes et des chemisiers. Vous avez plusieurs maillots de bain. Vous aimez les couleurs vivantes: jaune, rouge et orange.

D

Vous êtes sportif(ive). Vous aimez porter des jeans, des tee-shirts, des baskets et des anoraks. Vous aimez les couleurs claires: bleu, vert et jaune.

C

Vous travaillez dans un bureau. Vous portez toujours des vêtements chic mais qui sont aussi pratiques: des jupes, des pantalons, des vestes, des chemises, des cravates, un imperméable. Vous avez six parapluies! Vous aimez les couleurs subtiles: gris, brun, crème.

 1 Lisez les textes et faites une liste de vêtements.

 2 Ecoutez. Des Français décrivent ce qu'ils aiment comme vêtements. Cochez sur votre liste les vêtements que vous entendez.

3 Vous aimez acheter quels vêtements? Faites une liste des vêtements que vous avez achetés cette année. Ensuite comparez votre liste avec celle de votre partenaire.

 4 Ecrivez maintenant une description des vêtements que vous préférez.

1 Regardez ce magasin. Voyez-vous les pancartes?
Faites une liste des pancartes et traduisez-les en anglais.

 2 Regardez le magasin encore une fois.
Les personnes (**1** à **6**) font leurs courses.
Ecoutez: ils parlent de quelles pancartes?
Ecrivez le numéro du dialogue avec les
lettres des pancartes qui correspondent.

Réussir aux examens

L'imprévu

Vous voulez acheter des vêtements, mais il y a des problèmes.

A C'est trop cher.

B C'est trop grand.

C C'est trop étroit.

D C'est trop court.

E C'est trop petit.

F C'est trop long.

G C'est trop large.

1 Avez-vous quelque chose de plus grand?

5 Avez-vous quelque chose de plus large?

2 Avez-vous quelque chose de plus petit?

6 Avez-vous quelque chose de plus étroit?

3 Avez-vous quelque chose de plus court?

7 Avez-vous quelque chose de moins cher?

4 Avez-vous quelque chose de plus long?

1 Lisez les problèmes (**A** à **G**), puis les solutions (**1** à **7**). Quels problèmes correspondent à quelles solutions?

 2 Ecoutez les dialogues. Notez les problèmes et les solutions qui correspondent.

> **Exemple**
>
> **Problème:** «C'est trop grand.»
>
> **Solution:** «Avez-vous quelque chose de plus petit?»

 3 Ecoutez les phrases. Elles sont justes? Si la phrase est juste, répétez-la. Sinon, corrigez-la.

Voici le sommaire

Objectif 1 Dites ce que vous voulez acheter

Je voudrais un chapeau.	I would like a hat.
Quelle couleur?	What colour?
Vous avez des chapeaux jaunes/ rouges/ blancs?	Have you got any yellow/ red/ white hats?
Quelle taille?	What size?
Grande/ Petite/ Moyenne.	Large/ Small/ Medium.
Je peux l'essayer?	Can I try it on?
C'est trop grand/ petit/ court/ long/ étroit/ large.	It is too big/ small/ short/ long/ narrow/ wide.
Avez-vous quelque chose de plus petit?	Have you anything smaller?
C'est parfait.	It is perfect.
C'est combien?	How much does it cost?
Vous payez à la caisse.	You pay at the cash till.

Objectif 2 Décrivez les vêtements que vous aimez

une robe en laine/coton	a wool/ cotton dress	un imperméable	a raincoat
un manteau	a coat	un parapluie	an umbrella
des chaussures	shoes	une veste	a jacket
des chaussettes	socks	une chemise	a shirt
un pantalon	a pair of trousers	une cravate	a tie
un pull	a pullover	un jean	a pair of jeans
un maillot de bains	a swimsuit	un tee-shirt	a T-shirt
des sandales	sandals	des baskets	trainers
une jupe	a skirt	un anorak	an anorak
un chemisier	a blouse		

Objectif 3 Comprendre des pancartes dans un grand magasin

sous-sol	basement	rayon dames/ hommes/ enfants	womens'/ mens'/ childrens' department
rez-de-chaussée	ground floor		
premier étage	first floor	rayon disques	record department
ascenseur	lift	rayon supermarché	food department
soldes	sale		
caisse	cash till		

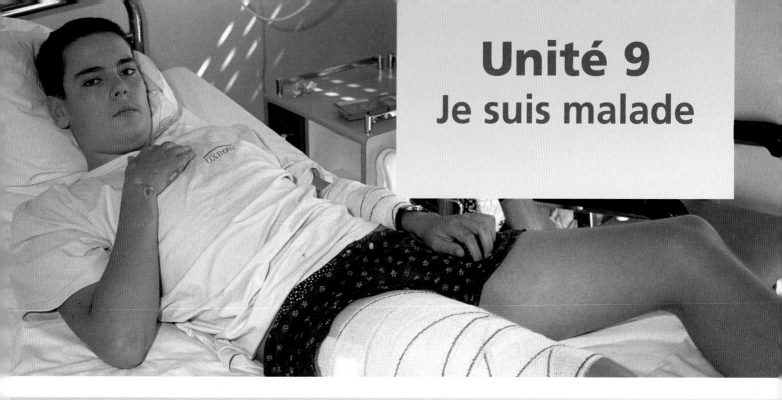

Unité 9
Je suis malade

Les objectifs

Dans cette unité, vous allez réviser un peu et vous allez apprendre à:

1 dire ce qui ne va pas.

2 demander des renseignements à la pharmacie.

3 comprendre le mode d'emploi des médicaments.

Objectif 1 Dire ce qui ne va pas

A: Ça va?

B: Non, ça ne va pas très bien.

A: Qu'est-ce que vous avez?

B: J'ai mal à la tête.

A: Vous voulez de l'aspirine?

B: Oui, merci. C'est très gentil.

 1 Ecoutez. Vous entendez deux collègues (**C** et **D**) qui ont mal à la tête. Quel collègue exagère? Le collègue **C** ou **D**?

 2 Ecoutez et répétez le dialogue:

   a normalement.

   b en exagérant.

Qu'est-ce que vous avez?

JE SUIS ENRUHMÉ(E)
J'ai de la fièvre

...au doigt
...au genou
AUX DENTS
...au dos
J'ai mal...
...au pied!
...au cœur
...au bras
...à la jambe
...à la gorge
...au ventre
...à l'oreille

 1 Recopiez tout et traduisez les symptômes.

 2 Vous travaillez à Nice. Des collègues vous téléphonent pour dire qu'ils sont malades et qu'ils ne peuvent pas venir au bureau. Ecoutez. Ils sont très malades? Est-ce ils ne peuvent vraiment pas venir au bureau ou est-ce qu'ils ne veulent pas travailler!?

    a Notez le nom du collègue.

    b Notez le symptôme et cochez le nom, si, à votre avis, votre collègue est vraiment malade.

 3 Ecoutez et répétez:

    a les symptômes graves.

    b les symptômes qui ne sont pas graves.

Objectif 2 Comprendre le mode d'emploi des médicaments

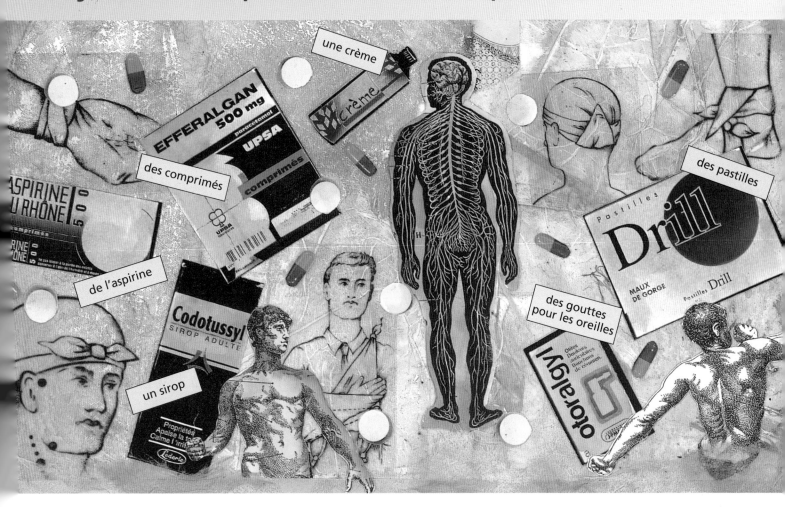

une crème

des comprimés

de l'aspirine

un sirop

des pastilles

des gouttes pour les oreilles

 1 Regardez votre liste de symptômes (page 63) et cherchez un médicament pour chacun.

 2 Ecoutez les dialogues (**A** à **D**) et notez en français:

    a le mode d'emploi.

    b les symptômes.

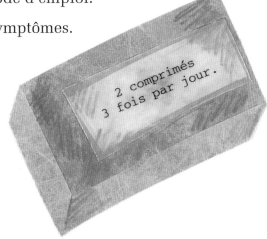

2 comprimés 3 fois par jour.

1 à 2 cuillerées dans un demi-verre d'eau après les repas

Objectif 3 Demander des renseignements à la pharmacie

A: Bonjour. Vous désirez?

B: Ah, bonjour. Je suis enrhumé(e).
Vous pouvez me recommander un
médicament?

A: Oui, ce sirop est très efficace.

B: Ah, bon. J'en prends combien de
cuillerées par jour?

A: Prenez-en deux cuillerées trois fois
par jour.

B: Merci, monsieur. Ça fait combien?

A: Ça fait 50 francs.

 1 Ecoutez et lisez le dialogue.

 2 Ecoutez des dialogues (**A** à **D**).
Ce sont les mêmes que le
dialogue ci-dessus, mais on a
changé les mots en rouge.
Répétez ce que vous entendez.

 3 Ecoutez encore une fois. Ces
gens sont malades. Pouvez-vous
décider si leurs symptômes sont
graves?

    a Pour chaque dialogue, notez
le symptôme de la personne.

    b Ensuite, cochez-le si, à votre
avis, la personne doit aller
chez le médecin.

C'est à vous

4 Jouez des dialogues à la pharmacie avec
votre partenaire.

1 Ecoutez. Vous êtes au bureau. Vos collègues téléphonent pour dire qu'ils ne peuvent pas venir au travail.

    a Notez le nom de chaque collègue.

    b Notez ce qui ne va pas.

    c Notez le jour où il/elle va reprendre le travail.

 2 Ecoutez. La pharmacienne vous donne le mode d'emploi des médicaments (**A** à **E**). Dessinez ce qu'elle vous dit.

3 Regardez ces symboles et travaillez avec votre partenaire pour faire les dialogues **C** et **D**.

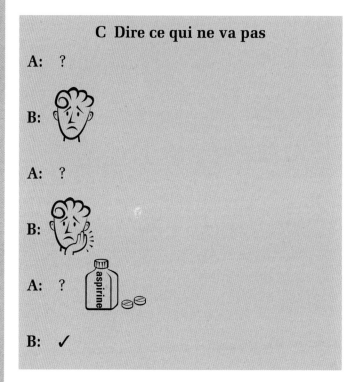

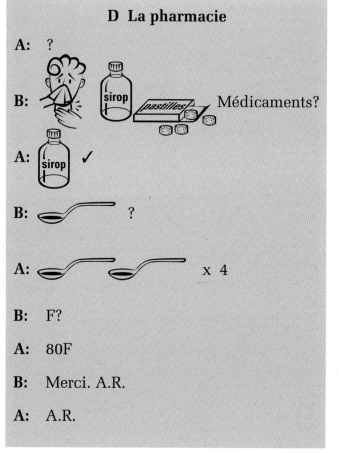

Voici le sommaire

Objectif 1 Dire ce qui ne va pas

Ça va?	Are you all right?	J'ai mal au ventre.	I've got a stomach ache.
Je suis malade.	I am ill.	J'ai mal à la gorge.	I've got a sore throat.
Ça ne va pas très bien.	I am not feeing very well.	J'ai mal à l'oreille/ aux dents/ au pied/ à la jambe/ au genou/ au bras/ au dos/ au doigt.	I've got an ear ache/ a toothache/ a sore foot/ a sore leg/ a sore knee/ a sore arm/ a back ache/ a sore finger.
Qu'est-ce que vous avez?	What is wrong?		
J'ai mal à la tête.	I've got a headache.		
Vous voulez de l'aspirine?	Would you like some aspirin?	Je suis enrhumé(e).	I've got a cold.
C'est très gentil.	That's very kind.	J'ai de la fièvre.	I've got a temperature.
J'ai mal au cœur.	I feel sick.		

Objectif 2 Comprendre le mode d'emploi des médicaments

Le mode d'emploi.	The instructions for use.
un sirop	a syrup (or linctus)
des pastilles	lozenges
une crème	a cream (or ointment)
des comprimés	pills (or tablets)
des gouttes pour les oreilles	ear drops
Deux cuillerées trois fois par jour.	Two spoonfuls three times a day.
Un à deux comprimés dans un demi-verre d'eau après les repas.	One to two tablets in half a glass of water after meals.

Objectif 3 Demander des renseignements à la pharmacie

Vous pouvez me recommander un médicament?	Can you recommend some medicine for me?
Ce sirop est très efficace.	This syrup is very effective.
Prenez-en une cuillerée deux fois par jour.	Take one spoonful twice a day.

Les objectifs

Dans cette unité, vous allez réviser un peu et vous allez apprendre à:

1 parler de ce qu'on prend au petit déjeuner.

2 demander quelque chose pendant le repas.

3 dire ce que vous voulez.

4 demander la description d'un plat.

Objectif 1   Parler de ce qu'on prend au petit déjeuner

En France, le petit déjeuner n'est pas très copieux. On prend des croissants, du pain, du beurre, de la confiture et on boit du café, du thé ou du chocolat. Parfois on prend un jus d'orange et, de temps en temps, on mange un œuf.

 1 Lisez le texte et regardez la photo. Faites une liste des choses à manger et à boire qui ne sont pas sur la table.

 2 Ecoutez. Samuel, un Belge, décrit ce qu'il prend au petit déjeuner. Notez les différences entre le petit déjeuner belge et le petit déjeuner français.

Objectif 2 Demander quelque chose pendant le repas

Je peux avoir	le sel le poivre le pain le beurre l'eau un couteau une fourchette une cuillère un bol	s'il vous plaît?

  1 Ecoutez les dialogues (**A** à **C**) et notez ce que demandent les Français.

 2 Lisez les phrases et regardez le dessin. Vous pouvez trouver toutes ces choses sur la table? Notez ce que vous ne trouvez pas.

 3 Regardez le dessin encore une fois. Demandez à votre partenaire les choses qui sont sur la table.

Exemple

A: Je peux avoir le pain, s'il vous plaît?

B: Bien sûr.

Objectif 3 Dites ce que vous désirez

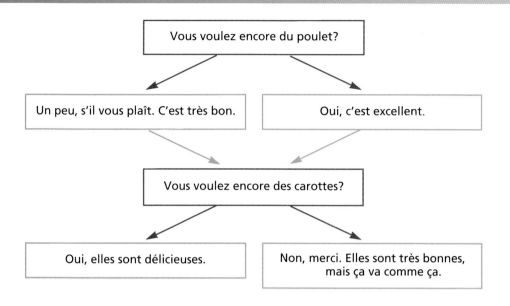

Vous voulez encore du poulet?

Un peu, s'il vous plaît. C'est très bon.

Oui, c'est excellent.

Vous voulez encore des carottes?

Oui, elles sont délicieuses.

Non, merci. Elles sont très bonnes, mais ça va comme ça.

 1 Ecoutez. Vous entendez quatre invités (**A** à **D**). Sont-ils polis ou impolis? Notez les lettres **A** à **D**, et cochez les lettres des invités polis.

 2 Ecoutez encore une fois. Les invités reprennent encore à manger? Faites la liste de ce qu'ils reprennent.

 3 Ecoutez. On vous propose de reprendre à manger mais vous n'aimez pas les légumes. Que dites-vous?

1 Vous connaissez bien les spécialités françaises?
Regardez ces dessins et lisez les textes. Vous
comprenez les descriptions?

C'est quoi?

un croque-monsieur

C'est un sandwich chaud, fait de pain grillé avec du jambon et du fromage.

une salade niçoise

C'est une sorte de salade. Il y a des haricots verts, du thon, des anchois, des tomates, des œufs durs et des olives dedans. C'est délicieux, surtout en été quand il fait chaud.

un croque-madame

C'est la même chose qu'un croque-monsieur, mais avec un œuf en plus.

  2 Ecoutez. C'est quoi, une poire Belle-Hélène?
Notez les détails. Vous en voulez une?

 3 Ecoutez la description du coq au vin. C'est un
plat français bien connu. Ecrivez ce qu'il faut
acheter pour préparer ce plat.

C'est à vous

4 Vous pouvez décrire
ces plats à un(e) ami(e)
français(e)?

A   B

Faire la cuisine

Glace à la poire

**Même quand il fait froid,
les Esquimaux adorent cette glace-là.**

Il te faut
pour 4 personnes
- 4 poires mûres
- 100 grammes de sucre
- le jus d'un citron

1
Enlève la queue des poires.
Coupe-les en quatre.
Puis pèle les morceaux.

2
Mets dans le mixer les
morceaux de poire, le sucre
et le jus de citron.

3
Mixe le tout finement. Verse
ensuite le mélange dans des
petits ramequins.

4
Mets au congélateur pendant
une heure, puis sors les
ramequins.

5
Remue la glace avec une
fourchette et remets une heure
les ramequins au congélateur.

1 Lisez ces deux recettes d'un
magazine français.
Si vous avez des problèmes pour
comprendre tous les mots,
utilisez votre dictionnaire. Vous
préférez quelle recette?

2 Faites une liste d'achats pour
faire 'la glace à la poire'.

Minicrêpes

Roule des crêpes déjà fourrées
avec de la confiture ou du
chocolat fondu.
Découpe-les en tranches.
Pique sur chaque bouchée un
cure-dents.

Réussir aux examens

Pour réussir à l'examen, il est important de savoir donner son opinion.

 1 Ecoutez les dialogues (**A** à **E**). Il s'agit de quoi?

> **Exemple**
>
> A le collège

 2 Ecoutez les phrases (**A** à **F**) et répétez seulement les phrases qui sont logiques.

> **Exemple**
>
> • Vous entendez, «J'adore la géographie, parce que c'est intéressant.» Vous répétez cette phrase. Elle est logique.
>
> • Vous entendez, «Je déteste la géographie, parce que c'est très intéressant.» Vous ne répétez pas cette phrase. Elle n'est pas logique.

 3 Recopiez les phrases **A** à **D** à côté des phrases **1** à **4** qui correspondent.

A J'aime beaucoup habiter en Ecosse…

1 …parce que c'est ennuyeux.

B J'adore le samedi…

2 …parce que c'est important pour mon métier.

C Je n'aime pas aller à la campagne…

3 …parce que je peux aller dans les montagnes.

D J'aime l'anglais…

4 …parce que je ne travaille pas.

 4 Ecoutez les opinions (**A** à **N**). Faites deux listes: les opinions positives et les opinions négatives.

C'est à vous

5 Regardez ces dessins. Ecrivez une opinion pour chaque dessin.

A

B   C

D

E *dimanche*

Voici le sommaire

Objectif 1 Parler de ce qu'on prend au petit déjeuner

On mange des croissants.

On boit du café.

Pour commencer, on prend un jus d'orange.

Je bois du lait.

Je mange un œuf.

We eat croissants.

We drink coffee.

To start, we have an orange juice.

I drink some milk.

I eat an egg.

Objectif 2 Demander quelque chose pendant le repas

Je peux avoir le sel/ le poivre/ le pain/
le beurre/ l'eau/ un couteau/ une fourchette/
une cuillère/ une assiette/ un bol, s'il vous plaît?

Can I have the salt/ the pepper/ the bread/
the butter/ the water/ a knife/ a fork/
a spoon/ a plate/ a bowl, please?

Objectif 3 Dites ce que vous désirez

Vous voulez encore du poulet?

Oui, s'il vous plaît.

C'est excellent.

Vous voulez encore des carottes?

Oui, elles sont délicieuses.

Non, merci.

C'est très bon, mais ça va comme ça.

Would you like some more chicken?

Yes, please.

It is excellent.

Would you like some more carrots?

Yes, they are delicious.

No, thank you.

It is very good, but I have had enough.

Objectif 4 Demander la description d'un plat

C'est une sorte de salade.

Il y a des œufs durs dedans.

It is a sort of salad.

There are hard-boiled eggs in it.

Unité 11
En route

Les objectifs

Dans cette unité, vous allez réviser un peu et vous allez apprendre à:

1 payer dans une station-service.

2 demander des services dans une station-service.

3 demander le chemin.

4 comprendre les panneaux sur la route.

Objectif 1 Payer dans une station-service

A: La trois, s'il vous plaît.

B: Vous payez comment? Par chèque, en espèces ou avec une carte de crédit?

A: Avec une carte de crédit.

1 Ecoutez le dialogue deux fois, puis répétez-le.

2 Jouez le dialogue avec votre partenaire. Changez les mots en rouge.

Objectif 2 Demander des services dans une station-service

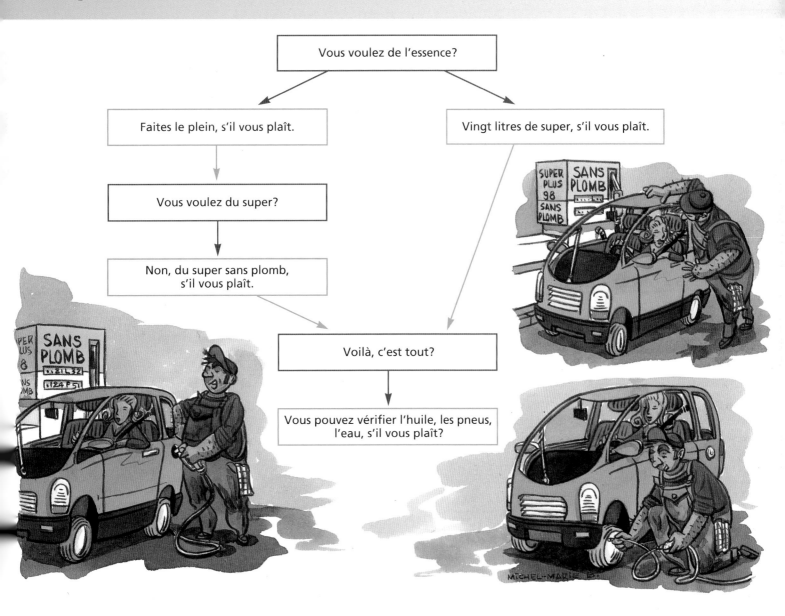

Vous voulez de l'essence?

Faites le plein, s'il vous plaît.

Vous voulez du super?

Non, du super sans plomb, s'il vous plaît.

Vingt litres de super, s'il vous plaît.

Voilà, c'est tout?

Vous pouvez vérifier l'huile, les pneus, l'eau, s'il vous plaît?

  1 On paie l'essence et l'huile, mais l'eau et l'air pour la pression des pneus sont gratuits. Ecoutez les dialogues (**A** à **C**) et notez, en français, les services que les clients demandent.

2 Il y a beaucoup de bruit dans une station-service. Ecoutez et répétez les phrases, mais très distinctement.

C'est à vous

3 Jouez des dialogues avec votre partenaire.

a Vous arrivez à une station-service et vous achetez de l'essence.

b Vous avez encore besoin de quelque chose.

Objectif 3 Demander le chemin

• Vous prenez la N7 jusqu'à Nice.

• A Vence, vous tournez à droite et vous prenez la D202.

• Vous pouvez aussi prendre l'autoroute.

Informations

Si on prend l'autoroute, il faut payer au péage.

 1 Ecoutez. On vous explique le chemin pour aller de Nice à Monte-Carlo. Prenez des notes en Français.

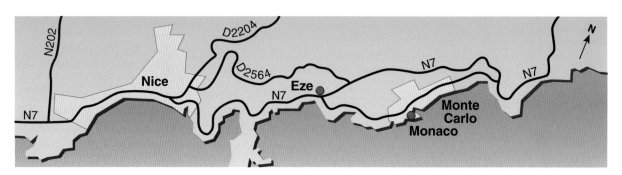

 2 Ecoutez et notez les détails.

Exemple

Vous entendez, «A Nice, vous tournez à droite et vous prenez la N202.»

Vous notez, «A Nice, à droite, la N202.»

C'est à vous

3 Regardez ces cartes routières avec votre partenaire. Expliquez le chemin pour aller:

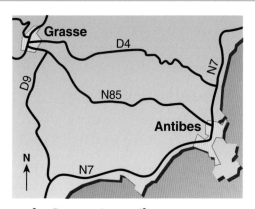

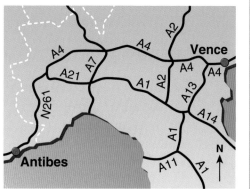

a de Grasse à Antibes.   **b** d'Antibes à Vence.

Pour bien conduire en France, il faut comprendre les panneaux.

1 Regardez ces panneaux et lisez les définitions (**A** à **F**). Vous pouvez trouver la définition qui correspond à chaque panneau?

A La rue est barrée. Il faut prendre une autre route.

B On peut descendre cette rue, mais on ne peut pas revenir par la même rue.

C Les voitures qui viennent de droite n'ont pas besoin de s'arrêter.

D Il faut faire attention parce qu'il y a des travaux dans cette rue.

E Il est interdit aux voitures d'entrer dans cette rue.

Déviation

PRIORITÉ À DROITE

SENS UNIQUE

ZONE PIÉTONNE

Travaux

2 Regardez maintenant ces symboles (**1** à **5**). Vous pouvez trouver le bon symbole pour chaque panneau?

1

2

3

4

5

 3 Ecoutez les dialogues (**A** à **E**). Les Français parlent de quels panneaux? Ecrivez le panneau qui correspond à chaque dialogue.

Voici le sommaire

Objectif 1 Payer dans une station-service

La trois, s'il vous plaît.	Pump, number three, please.
Vous payez comment?	How do you want to pay?
Par chèque, en espèces ou avec une carte de crédit?	By cheque, in cash or with a credit card?

Objectif 2 Demander des services dans une station-service

Vous voulez de l'essence?	Would you like some petrol?
Faites le plein, s'il vous plaît.	Fill it up, please.
Vingt litres de super.	Twenty litres of leaded (4-star).
Quinze litres de super sans plomb.	Fifteen litres of unleaded.
Vous pouvez vérifier l'huile/ les pneus/ l'eau?	Can you check the oil/ the tyres/ the water?

Objectif 3 Demander le chemin

Vous prenez la N3/ la D55.	You take the A3/ the B55.
A Vence vous tournez à droite et vous prenez la N40.	In Vence you turn right and you take the A40.
Vous pouvez aussi prendre l'autoroute.	You can also take the motorway.
Il faut payer au péage.	You have to pay a toll.

Objectif 4 Comprendre les panneaux sur la route

déviation	diversion
passage protégé	right of way
priorité à droite	priority from the right
travaux	road works
sens unique	one way
zone piétonne	pedestrian precinct

Le théâtre

Maintenant, vous connaissez beaucoup de vocabulaire et vous
savez dire beaucoup de choses en français.
Regardez ces images. Travaillez en groupe pour préparer une
pièce de théâtre.

Révision

Des problèmes et des solutions

1 Lisez les problèmes et les solutions (**A** à **D**) et inventez trois dialogues.

A

Le problème

– Nous n'avons plus de

| chambres libres. |
| pain. |
| super sans plomb. |

La solution

– Il y a

| un autre hôtel |
| une boulangerie |
| une autre station-service |

près d'ici?

B

Le problème

– Ça coûte mille francs!

La solution

– Avez-vous quelque chose de moins cher?

C

Le problème

– On va au stade?
– Je n'aime pas le sport.

La solution

– Qu'est-ce que tu aimes faire, alors?

D

Le problème →

La solution

– Avez-vous quelque chose de plus petit?

2 Travaillez avec votre partenaire. Ecrivez et jouez quatre dialogues avec des problèmes et des solutions, par exemple, dans un magasin.

Des opinions et le passé

Des opinions

A J'aime beaucoup habiter à Toulon, parce qu'il y a beaucoup de choses à faire pour les jeunes. On peut faire du sport, on peut aller à la plage et on peut aller au cinéma.

B Je déteste le sport, parce que mon professeur n'est pas sympa.

C J'aime beaucoup les maths, parce ce que je suis fort(e) en maths.

D J'aime passer les vacances à l'étranger, parce que j'aime le soleil.

Le passé

1 J'ai passé mes vacances en Irlande. J'ai fait des promenades à vélo et j'ai été dans des cafés.

2 Le week-end dernier, j'ai fait les magasins avec mes amis.

3 Hier soir, j'ai joué au football et j'ai regardé la télé.

4 Pendant mes vacances en France, j'ai mangé un steak-frites. C'était très bon.

 1 Préparez une présentation:

    a de votre ville.

    b de ce que vous aimez faire.

 2 Ecrivez une lettre au sujet des week-ends ou au sujet du collège.

> **Attention!**
> Pour réussir à l'examen oral il est important de savoir:
> **a** donner des opinions.
> **b** parler du passé.

Ecrire

 1 Voici quatre questions (**A** à **D**) qu'on trouve souvent aux examens. Répondez à ces questions.

A

Hier, c'était votre anniversaire. Votre ami(e) vous a donné un cadeau. Ecrivez une lettre pour remercier votre ami(e).

- Décrivez ce que vous avez fait le jour de votre anniversaire.
- Décrivez votre ville.

B

Un ami français vient vous voir.

- Expliquez le chemin pour aller de la gare à votre maison.
- Décrivez ce que vous pouvez faire quand votre ami est chez vous.

C

Vous invitez un(e) ami(e) à venir au cinéma avec vous. Ecrivez un message avec tous les détails de votre rendez-vous.

Exemple	
On se rencontre:	où?
	à quelle heure?

D

Vous passez vos vacances au bord de la mer. Ecrivez une carte postale à un(e) ami(e).

- Décrivez ce que vous avez fait.
- Décrivez le climat.

Au secours!

Voici des phrases pour vous aider.

En sortant de la gare routière...

Vous prenez la deuxième rue à gauche.

Je suis allé(e) en Espagne.

J'ai joué au volley-ball.

Il fait très chaud.

J'ai mangé dans des restaurants.

On peut aller au cinéma.

On peut faire les magasins.

On se rencontre à sept heures?

J'aime beaucoup les chocolats.

C'est une ville touristique.

Merci beaucoup pour mon cadeau.

---

2 Regardez ces souvenirs de vos vacances en France. Ecrivez une lettre à votre correspondant(e) français(e) pour lui parler de vos vacances.

Lire et parler

1 Lisez ce texte.

   a Ecrivez une liste des fruits et des légumes qui sont d'origine européenne.

   b Recopiez le nom de chaque fruit et chaque légume de l'article et notez le pays d'origine.

2 Avec votre partenaire jouez des dialogues dans lesquels vous achetez:

   a des fruits et des légumes qui viennent d'un pays chaud.

   b des fruits et des légumes qui viennent de votre pays.

La saga des fruits et des légumes

Nous ne pourrions pas consommer chaque année nos 60 kg de fruits, si nous ne disposions que des seules plantes françaises.

  Si l'homme s'était contenté de consommer les fruits et légumes que lui offrait la nature, le cours de l'histoire en aurait été changé! Boutade? Pas si sûr. Si nous n'avions dans nos cuisines que les végétaux originaires de France, nous n'aurions pas grand-chose dans nos assiettes: quelques herbes, des petits pois et des lentilles.

  Pomme de terre, tomate, haricot… nos légumes préférés sont des étrangers.

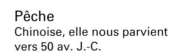

Pêche
Chinoise, elle nous parvient vers 50 av. J.-C.

Tomate
Rapportée d'Amérique par Christophe Colomb.

Fraise
La grosse fraise est rapportée du Chili en 1713.

Ananas
Un fruit tropical, d'origine américaine. Il est goûté pour la première fois par Charles Quint.

Banane
Indienne, elle conquiert la France en 1930 grâce à Joséphine Baker.

Carotte
C'est au 19ème siècle que la carotte orange se répand en France.

Des dialogues

 1 Regardez ces dialogues en symboles.
Ecrivez chaque dialogue et jouez-les.

A la gare	Demander le chemin	Au marché

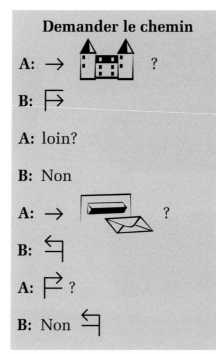

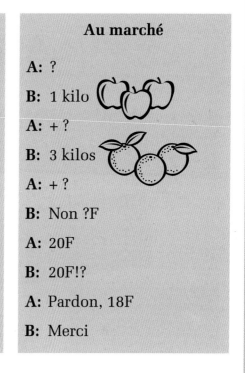

A la gare

A: Marseille → Nice 🕐 ?

B: 10h30

A: Nice → Paris 🕐 ?

B: 18h30

A: ? 1x ⇄ Paris, ?F

B: 210F

A: Quai?

B: 6

Demander le chemin

A: → 🏰 ?

B: ↱

A: loin?

B: Non

A: → ✉ ?

B: ↰

A: ↱ ?

B: Non ↰

Au marché

A: ?

B: 1 kilo 🍎

A: + ?

B: 3 kilos 🍊

A: + ?

B: Non ?F

A: 20F

B: 20F!?

A: Pardon, 18F

B: Merci

 2 Travaillez avec votre partenaire.

- **A** dessine un dialogue en symboles.

- **B** écrit le dialogue.

Puis changez de rôle.

Les panneaux

✏ **1** Notez les lettres des panneaux avec les numéros des symboles qui correspondent.

A BOULANGERIE

B SOUS-SOL ▼

C P Office du Tourisme ▶

D ⬇ Billets

E SORTIE DE SECOURS

F CAISSE

G BOITES AUX LETTRES
TOUS TARIFS
13090 Aix en Provence

H REZ DE CHAUSSEE

1

2

3

4

5

6

7

8

9

10

11

12

13

14

15

16

17

18

I
SERVICE
DES OBJETS TROUVES
OUVERTURE
08h A 16h30
DU LUNDI AU VENDREDI

J ↓ Accès aux Quais

K *Patisserie*

L
POUBELLES
↓

M Soldes

N RAYON DE VÊTEMENTS

O ✉ P.T.T.

P TICKET 02
APPUYER SUR LE BOUTON

Q ⊞ EAU NON POTABLE

R PÉAGE

✏ **2** Ecrivez les panneaux dans les catégories suivantes:

    a en ville.

    b à la gare.

    c au camping.

    d en route.

    e dans un magasin.

La grammaire

1 How do I say **"I am"** and **"I have"**?
(see *Vital 1, Unité 2*)

- **je suis** = I am
  Je suis calme.

- **j'ai** = I have
  J'ai deux sœurs.

2 How do I say **"he is"** and **"she is"**?
(see *Vital 1, Unité 2*)

- **il est** = he is
  Il est intelligent.

- **elle est** = she is
  Elle est petite.

je suis	j'ai
il est	il a
elle est	elle a

3 How do I say **"it was"**? (see *Vital 2, Unité 3*)

- **c'était** = it was
  c'était intéressant.
  c'était ennuyeux.

4 How do I say **"he has"** and **"she has"**?
(see *Vital 1, Unité 2*)

- **il a** = he has
  il a les cheveux longs.

- **elle a** = she has
  elle a les yeux verts.

5 How do I say **"I can"**?
(see *Vital 1, Unité 7*)

- **je peux** = I can
  Je peux regarder la télé, s'il vous plaît?

6 If you want to say **"people can"**, you use **on peut**. (see *Vital 1, Unité 4* and *Vital 2, Unité 1*)

- **On peut** = one/people can
  On peut jouer au football.
  On peut faire les magasins.

je peux
on peut

7 At what other times can I use **on**? (see *Vital 1, Unité 12*)

- **On** can also mean **"we"**.
  On va à la piscine? = Shall we go to the swimming pool?

- You can also use **on** when you are making arrangements to meet someone.
  On se rencontre à quelle heure? = What time shall we meet?

8 How do I say **"I like to do something"**?
(see *Vital 1, Unité 13* and *Vital 2, Unité 2*)

- **j'aime** = I like/love
  J'aime faire des promenades.
  J'aime jouer au volley-ball.

9 How do I ask someone what they want (to do)? (see *Vital 1, Unité 7*)

- **tu veux...?** = you want...?
  Tu veux aller à la plage
  Tu veux boire quelque chose?

10 When do I use **vous**? (see *Vital 1, Unité 7 and 14*)
You use **vous**, when you are talking to someone who you do not know very well, for example to business colleagues and adults who are not close friends.

11 How do I tell people what I have done in the past? (see *Vital 1, Unité 8* and *Vital 2, Unité 3*)

- You use a special form of the verb which consists of two parts.
  j'ai passé = I have spent/I spent
  J'ai passé mes vacances en France.
  J'ai visité des amis.
  J'ai travaillé dans un magasin.

12 When do I use *je suis* to form the past tense? (see *Vital 1, Unité 13*)

- **Je suis** goes with *aller* in the past tense.
  je suis allé(e) = I went/I have gone
  Je suis allé(e) à Paris, ensuite je suis allé(e) à Lyon

13 How do I compare two things (see *Vital 2, Unité 1*)

- You can use *plus* or *moins*.
  plus = more
  moins = less
  Il fait plus beau à Nice.
  Nice est moins grand que Londres.

- You can also use *il y a* and *il n'y a pas*.
  il y a = there is
  il n'y a pas = there isn't
  A Nice il y a une plage mais à Londres il n'y a pas de plage.

14 How do I say **"I would like to do something"**? (see *Vital 2, Unité 4*)

- **je voudrais** = I would like
  Je voudrais réserver une chambre.
  Je voudrais changer des livres sterling.

15 How do I say **"not"**? (see *Vital 2, Unités 1, 4, 5* and *6*)

- You use **ne** before the verb and **pas** after the verb.
  je n'ai pas = I do not have
  il n'a pas = it/he does not have
  Il n'a pas de frères ou de sœurs.
  Nous n'avons pas de chambres libres.

16 What does **ne… plus** mean? (see *Vital 2, Unité 5*)

- You would hear a shop assistant say this if they had sold out of something.
  Il n'y a plus = There isn't any more
  Je n'ai plus = I haven't any more
  Je n'ai plus de pain.
  Il n'y a plus de fraises.

17 How can I say what I am going to do in the future? (see *Vital 2, Unité 2*)

- Use *je vais* followed by a second verb.
  je vais = I am going to
  Je vais travailler dans un supermarché.
  Je vais rester au collège.

18 To talk about what you are going to do in the future you can also use the future tense.

- **j'irai** = I will go
  L'année prochaine, j'irai en France.
  Demain, je jouerai au tennis.

Le petit dictionnaire

A

à to
d'abord to begin with, first
un accueil a welcome
accueillir to welcome
un achat a purchase
acheter to buy
une agence immobilière a letting agency
il s'agit de it's about (something)
agréable pleasant
aider (quelqu'un) à to help (someone) to
aimable friendly
ainsi like this
l'alimentation (f) food
une amande an almond
un(e) ami(e) a friend
une année a year
apprendre to learn
apprenez learn
appuyer to press
après after
l'argent 1 money 2 silver
arrêter to stop
un ascenseur a lift
assez enough
une auberge de jeunesse a youth hostel
aucun(e) none, not any
aussi bien que as well as
aussi also, too
aussi vite que possible as fast as possible
autre other
avec with
avoir to have

B

une bande dessinée a comic strip
barré(e) closed (road)
bas low, below, downstairs
bâti(e) built
beaucoup de many, a lot of
belge Belgian
avoir besoin de to need
bête silly, stupid
bientôt soon
boisson comprise drinks included
bon(ne) good
le bon mot the right word

la bonne phrase the right sentence
une bouchée a mouthful
bouleverser to overwhelm
le boulot work, job
la Bretagne Brittany
une brochette a skewer
un bruit a noise

C

un cadeau a present
un(e) caissier(ière) a cashier
car because
le caractère (de quelqu'un) the character, nature (of somebody)
une carte de crédit a credit card
une carte routière a road map
ce this
ce que what
cela that
celles-ci these
ces these
cet/cette this
cette fois-ci this time
ceux-ci these
la chaleur heat
un champignon a mushroom
chaque each
chacun/chacune each one
une chaussure a shoe
le chemin the way (to somewhere)
un chèque a cheque
cher/chère 1 dear 2 expensive
chercher to find, fetch
chez eux at their place
le chômage unemployment
une chose a thing
un cœur a heart
une colline a hill
combien how many, how much
une commande an order
commander to order
comme like
comment how
comprendre to understand
conduire to drive
confiant(e) confident

un congélateur a freezer
content(e) happy
contre against
une correspondance a connection (trains, buses)
correspondre to correspond, match
corriger to correct
à côté de next to
couper to cut
faire des courses to go shopping (food)
une liste de courses a shopping list
court(e) short
une couverture a blanket
couvrez cover (something)
couvrir to cover
un crayon a pencil
crevé(e) exhausted
croire to think
je crois I think
cueillir to pick
cuire to cook
un cure-dent a tooth pick
c'est à dire that is to say, that means

D

d'abord to begin with, first
dans in
de 1 of 2 from
de la some
se débrouiller to manage on your own
le début the start
découper to cut up
décrire to describe
déjà already
demander to ask (for)
un dépliant a brochure, leaflet
depuis since
déraper to skid
dernier(ière) last
un dé a dice
descendre to go down
un dessin a drawing
dessiner to draw
devant in front of
une déviation a diversion
deviner to guess
dire to say
dites-lui tell him, tell her
devoir to have to

il/elle doit it, he/she must
donner to give
la douceur mildness, sweetness
du some
durer to last

E

l'eau (f) **potable** drinking water
écouter to listen
écrire to write
écrit(e) written
embrocher to spike, skewer
un emploi a job
un emploi du temps a timetable
en 1 of it, of them 2 in
vous en voulez combien? how many of them do you want?
encore une fois once more
enlever to remove
ensuite then, next
entendre to hear
entier(ière) whole
s'entraîner to train (sport)
entre between
entrer dans to go into
un entretien an interview
environ about, approximately
envoyer to send
une épaule a shoulder
équilibrer to balance
une erreur an error, a mistake
des espèces (f) cash (money)
l'esprit (m) 1 the spirit 2 the mind
essayer to try
l'essence (f) petrol
il/elle est it/he/she is
un étage a floor, a storey
étant being
en été in summer
une étoile a star
être to be
les études (f) studies
eux them
exagérer to exaggerate
s'exercer to practise
expliquer to explain
un extrait an extract

F

facile easy
facilement easily
faire 1 to make   2 to do
faire des courses to go shopping (food)
faire attention à to pay attention to
faites 1 make   2 do
fatigué(e) tired
il faut you must, it is necessary to
faux/fausse 1 false   2 wrong
une faute a mistake
une femme 1 a woman   2 a wife
fermé(e) closed, shut
une fois once
ils/elles font they do
fort(e) 1 loud(ly)   2 strong
une fourchette a fork
fourré(e) filled (chocolates)
un foyer a hostel
une fraise a strawberry

G

gagner 1 to win   2 to earn
gagner une bonne note to get a good mark
une gare SNCF a train station
un genre a kind, type, sort
les gens (m) people
gérer notre argent to manage our money
un gîte rural a country holiday cottage
la glace 1 ice   2 ice-cream
glisser to slip
goûter to taste
grâce à thanks to

H

haut(e) high
un hébergement accommodation
heureux(euse) happy
un homme a man
un horaire a timetable
l'huile (f) oil

I

ici here
il faut you must, it is necessary to

il y a there is, there are
ils they
imprévu(e) unexpected
indiquer to point at
l'informatique (f) information technology
interdit(e) forbidden, not allowed

J

une jambe a leg
jeune young
des jeunes (m) young people
un jour a day
un journal a newspaper
les journaux newspapers
une journée a day
une journée scolaire a school day
le jus de citron lemon juice

L

la laine wool
laisser to leave, let
les produits laitiers dairy products
les légumes (m) vegetables
avec lequel with which
dans lesquelles in which
leur(s) their
se lever to get up
libre free
lire to read
lisez read
une liste de courses a shopping list
lui to him, to her
lutter to fight

M

un magasin a shop
un grand magasin a department store
maintenant now
mais but
malade ill, unwell
manger to eat
d'une manière calme in a calm way, calmly
une matière a (school) subject
meilleur(e) better
un mélange a mixture
même even

un métier a job, profession
mettez put
mettre to put
un meublé a furnished room or flat
un miroir a mirror
le mode d'emploi directions for use
un mois a month
le monde the world
un morceau a piece
un mot a word
un moyen de transport a means of transport
mûr(e) ripe

N

ne... que only
négocier to negotiate
nettoyer to clean
nettoyez clean
ni... ni neither... nor
le nord-ouest the north-west
une note an exam mark, grade
se nourrir to feed oneself
nous sommes we are
nouvel(lle) new

O

obéir to obey
les objectifs (m) aims, objectives
s' occuper de to look after
ombragé(e) shady
on 1 you   2 one   3 they   4 people   5 we
on peut one can
ils/elles ont they have
ou or
où where
oublier to forget
n'oubliez pas don't forget

P

une pancarte a sign (i.e. in a shop)
un panneau a sign (i.e. outside)
il paraît it seems
parce que because
parfois sometimes
parler (de) to talk (about)
à partir de as from
le passé the past

passer to spend
un pays a country
un péage a toll
un pêcheur a fisherman
peler to peel
pendant during
penser to think
un peu a little, a few
avoir peur de to be frightened
peut-être perhaps, maybe
ils/elles peuvent they can
une pharmacie a chemist's
se plaindre de to complain about
ils/elles se plaignent de they complain about
il/elle se plaint de he/she complains about
une planche à voile a windsurfing board
un plat a dish
plein(e) de full of
pour la plupart for the most part
plus more
plutôt rather
poli(e) polite
porter 1 to wear   2 to carry
posez des questions ask some questions
l'eau (f) **potable** drinking water
une poubelle a dustbin
pour 1 for   2 in order to
pourquoi why
pourtant yet, nevertheless
pratiquer to practise
prendre to take
près (de) near
presque nearly
la pression des pneus tyre pressure
un prix 1 a price   2 a prize
prochain(e) next
les produits laitiers dairy products
profiter de to make the most of
la proximité nearness, proximity
puis then
les Pyrénées the Pyrenees (a mountain range)

Q

quand when
que 1 which, that 2 what
que faire? what can you do?
que faites-vous? what do you do?/what are you doing?
quel(s), quelle(s) 1 which, that 2 what
quelque chose something
quelques some, a few
quelqu'un someone
une queue 1 a tail 2 a queue 3 a stem (e.g. of pear)
qui who, which, that
quoi what
il s'agit de quoi? what is it about?
qu'est-ce que what

R

un ramequin a little oven-proof bowl
rapporter to bring back
un rayon a department (in a shop)
une recette a recipe
un reçu a receipt
en réfléchissant on thinking it over
regarder to look at
remercier to thank
remplir to fill
remuer to stir
rencontrer to meet
les renseignements information
un repas a meal
répondre to answer
une réponse an answer
reprendre 1 to have some more (e.g. food) 2 to resume (e.g. work)
ils/elles reprennent 1 they have some more (to eat) 2 they resume, go back to (work)
résoudre to solve, resolve
ressembler à to look like
se retrouver to meet up
réunir to bring together
rien nothing
rouler to roll

S

sa (f) his, her
le sable sand
la sagesse wisdom
il s'agit de it's about (something)
il/elle sait he/she knows (how to)
sans without
savoir to know (how to)
le sel salt
une semaine a week
ses (pl) his, her
seul(e) alone
seulement only
si if
le ski nautique water skiing
une soirée an evening
les soldes (m) sales
son (m) his, her
ils/elles sont they are
souligné(e) underlined
souriez smile
sourire to smile
sous under
souvent often
une station-service a petrol station
sucré(e) sweet
suivant(e) following
suivez follow
suivre to follow
au sujet de about, on the subject of
sur 1 on 2 about
surtout especially
sympa friendly
un symptôme a symptom

T

tant attendu(e) long-awaited
un tarif a price
tel(le) such
une telle chose such a thing
têtu(e) stubborn
tirer to pull
tomber malade to fall ill
tôt early
toujours always
tout/tous (m) all
toute/toutes (f) all

tout everything
tout cela all that
traduire to translate
une tranche a slice
le travail work
très very
trop too many, too much
trouver to find
se trouver to be situated
un truc 1 a trick 2 a thing
une truite a trout

U

une unité a unit
utile useful
utiliser to use

V

il/elle va it, he/she goes
les vacances (f) holidays
je vais I go
venir to come
vérifier to check
tu verras you will see
verser to pour
les vêtements (m) clothes
ils/elles veulent they want
la viande meat
la vie life
ils/elles viennent they come/are coming
il/elle vient it, he/she comes/is coming
venir de to come from
une ville a town
vite fast, quick(ly)
vivant(e) lively
voici here is, here are
faire de la voile to go sailing
une voiture a car
vos your
votre your
vous (n') aimez (pas) you (don't) like
vous allez you go/are going
vous avez you have
vous buvez you drink
vous choisissez you choose
vous comprenez? do you understand?

vous connaissez you know
vous entendez you hear
vous êtes you are
vous êtes comment? what are you like? (in looks/character)
vous étiez you were
vous-même you yourself
vous pouvez you can
vous savez...? do you know (how to)?
vous vous sentez you feel
vous voulez combien? how much/many do you want?
vrai(e) true
vraiment really